# 高校生 よく出る 一般常識問題集

'26 年版

就職試験の重要ポイントを完全チェックできる!

GENERAL EDUCATION

JN001933

# ●最新の就職事情●

## 社会人の自覚を持ち、未来に向けトライを！

## 新しい時代を見極め、確実な歩みが大切

　この本を手に取っているあなたは、「就職」という、これまでの18年間の人生の中で最も大きな問題に直面していることと思います。漠然とした不安に満ち、「どんな会社が良いのか？」「社会でやっていけるのか？」と悩んでいることでしょう。

　今のあなたに必要なのは「自分の将来のビジョン」を描き、「自立した自分」を見つけることを目標にして、「自分で収入を得る」環境づくりに踏み出す決意です。就職では、「会社」という組織に入るだけではなく、文字通り「職に就く」という意識が大切です。つまり就職とは仕事を通して自分の描いた将来のビジョンに近づくことなのです。

　4年あまり世界に蔓延した新型コロナ感染症は、日本でも2023年5月の5類感染症移行ののちコロナ前の生活に戻りつつあります。2024年1月、トヨタ自動車の株価の時価総額が日本企業歴代最高の約48.7兆円を記録、また2023年の訪日外国人旅行者数が約2,506万人に、同年コンビニの売上高が約11.6兆円に上るなど日本経済は活性化しています。しかし、長引く円安やロシア・ウクライナ戦争、ガザ紛争など世界的な不安材料も存在しています。こんな状況下で、文部科学省（2024年5月24日付）によると令和6年3月高等学校卒業生の全国の就職率は、98.0％（前年同比）と高水準を維持しています。また、求人数は約46.5万人で9.4％増、求人倍率は3.79倍で0.5ポイントの上昇（厚生労働省・同年3月）でした。令和7年3月新規高等学校卒業者の就職のための活動として、学校が生徒の応募書類を提出するのは9月5日（沖縄県は8月30日）からです。企業の採用内定開始は9月16日からですが、もし不合格としても10〜11月以降の2次募集もあるので、再トライする機会があり、決してあせる必要はありません。近年は大手企業も高校生採用に熱心な傾向です。情報の収集や職場見学への参加、先生、家族とじっくりと話し合うことをお勧めします。そして、就職し不安な状況になっても安易に離職・転職しない強い気持ちで、確かな未来を開いていかれることを願っています。

## 限られた時間をフル活用し、明日につなげよう！

　2024年7月現在、人種や宗教対立、ロシアのウクライナ侵略やイスラエルのガザ攻撃が多数の被害者を出し続け、世界に混乱と分断を招いています。日本をはじめ世界がコロナ後の回復と危機感の最中に、高校生活から実社会へ飛び込むことに不安を感じている人も多いでしょう。就職したあなたは、初めての仕事や会社の環境への対応、新社会人としての人間関係などに一人で対峙しなければなりません。しかし、時間を自分で管理できるのも社会人の権利です。感受性が鋭い今こそ、語学習得や資格試験への挑戦など未来を開く自己研鑽のチャンスなのです。

# いろいろな業種を知ろう！

　混迷する現代こそ社会の動きや経済を正しく捕まえ、理解することが大切です。毎日の暮らしの中で日本と世界の現状を、新聞やニュースでチェックし自分の感性を磨くことが、仕事の理解への近道となるはずです。本書は、高校卒業生に考えられる公務員以外の職種を4つに分類しています。「主な業界の動き」と合わせ仕事選びの参考にしてください。

| 製　造　業 | ①建設　②食品・飲料　③電機・電子・情報　④機械　⑤農林・水産・鉱業　⑥繊維・アパレル　⑦自動車　⑧化学・医薬品　⑨鉄鋼・非鉄金属　⑩住宅・住設機器　⑪その他 |
|---|---|
| 金　融　業 | ①銀行・信用金庫・その他の金融関係　②保険 |
| 流　通　業 | ①百貨店・スーパー・コンビニ・その他の流通小売　②不動産　③飲食・フードサービス |
| サービス業・情報業 | ①レジャー・アミューズメント　②鉄道・陸運　③旅行・ホテル　④電力・ガス・石油　⑤介護　⑥ソフトウエア産業　⑦通信業　⑧その他 |

## ［主な業界の動き］

■建設＝専門分野ごとに様々な職種があり、就業者数は全体で約503万人（2023年9月・総務省）とされます。前年より就業者数は約2.2％増加していますが、業界全体では資材高騰、人手不足とコロナ禍でのゼロゼロ融資の返済苦などにより、2023年は建設業者倒産件数が1,671件（帝国データバンク）、24年度も継続予測。だが労働環境では、24年4月からの「時間外労働の上限規制」で労働環境が改善され、万博やリニア新幹線関連の民間投資など、建設需要の増加に期待を寄せる。

■食品・飲料＝2023年の食料・飲料卸売業の販売額は約63.3兆円（経産省）で、2年連続の増加。食品業界全体として、大手食品卸を中心に再編傾向にあります。この卸業界は地域ごとの中小専業企業と総合食品卸大手が競合しており、その中、大手のM＆Aによる規模拡大が進んでいます。

■電機・電子・情報＝業界は家電、パソコン製造など多分野からなり、23年のIT関連等の国内家電小売市場は6.9兆円と前年比1.4％減。家電大型専門店も1.1％減の約4.6兆円（経産省）でした。

■自動車＝2022〜2023年の市場規模約77.1兆円（2024年5月対象企業9社・業界動向サーチ）を誇る日本の基幹産業。2023年国内新車販売台数は約477.9万台で前年比13.8％増でした。23年の就業者数6,747万人のうち、自動車などの輸送用機械器具製造業の国内就業者は約135万人（総務省）。

■百貨店・スーパー・コンビニ＝2023年度小売業総販売額の約163.3兆円のうち、百貨店・スーパーの売上は約21.6兆円、コンビニは約12.7兆円（経済産業省）にのぼります。百貨店は5.9兆円で前年比8.1％増ですが、地方百貨店の苦境は続いています。スーパーは前年比増と好調ですが総合スーパーの撤退が目立ちます。コンビニは飽和状態が続き店舗数は減少傾向にあり、多様な店舗展開に。

■飲食・フードサービス＝ポストコロナへの転換で、2023年の外食産業全体の売上は前年比14.1％増（2024年1月・日本フードサービス協会）と回復基調に。メインの大手外食産業は、訪日外国人旅行消費額約5.3兆円（観光庁）の影響大ですが中小・個人企業は倒産増など厳しい状況が続いています。

# ●最新の採用試験事情●
## 常識問題の傾向と対策を知ろう！

希望する企業が、過去にどんな一般常識問題を出題したか、先輩や就職担当の先生に聞いてみましょう。出題傾向は業種により多少ばらつきはありますが、社会人としての基礎知識が要求されることはどこでも同じです。

**国語の傾向と対策**

漢字の読み書きから、四字熟語やことわざの意味や穴埋め問題、同音異義語の記入、慣用句の意味や用字、用語、文法、構文の誤りを問う基本的問題が多いようです。また、文学作品の簡単な解説や評論から、その作品名・作者を問う出題も目立ちます。日頃から古典や有名な文学作品に触れておき、国語力を磨くことをおすすめします。

**社会の傾向と対策**

日本と世界の歴史、経済、政治、選挙法の基礎的知識など。現代政治に関することも高い頻度で出題されています。また、今話題となっているデフレとインフレ、消費税や需要と供給などの、経済一般の基礎知識もチェックしておきましょう。

**理科の傾向と対策**

物理の単位に関する問題や、化学の物質名や簡単な化学式など教科書の基本的な問題が多いようです。業種によっては、「遺伝子に関する問題」などが出ることもあります。基礎知識を再確認しておくことが大切です。また、「地学」や「環境破壊」の原因、「原子力発電」も要チェックです。

**数学の傾向と対策**

公式を利用した計算問題、方程式、不等式や割合の計算問題など、基礎的な問題が出題の中心。また、数の規則性を見つける問題なども出題されています。

**英語の傾向と対策**

英単語のスペルや単語の複数形の問題、熟語や書き換え、英作文や文法上の誤りを見つける問題などが出題されています。最近では英語長文を読み、その内容を要約した文を選んだり、説明文と合致する語句を選ぶ問題が見られます。地道な学習が最善の策です。

**簿記の傾向と対策**

業種により出題されます。サービス業のある会社では、簿記という科目ではありませんが「売上高と原材料費」を算出する問題が出ていました。貸借対照表の基礎や用語の確認、関連法規の再確認も大切です。

**時事の傾向と対策**

最新の文学作品やスポーツ、現代政治の動向まで幅広い分野から出題。国内・国際政治経済、文化など、その年に起きた出来事や世界の情勢の問題が多く出されますので、幅広い視野を持つことが大切です。

# ●最新の時事問題●
## ポイントはこう押さえる！

### ［新聞で日本と世界の流れをつかむ］

　日本の新聞は世界でも珍しい宅配形式でほぼ毎日届く、大変便利な文字情報ツールです。近年はスマホで大見出しのみを見て情報を得る人も多いようですが、例えば保護者の方などと相談して日経電子版や各新聞社の電子版に入ってもらうなど、より情報収集の精度をアップしてはどうでしょうか？　電子ツールを上手に使いながら、紙媒体の長所を生かして学ぶことをお勧めします。

①「1面」の見出しと、リード（記事のあらまし）を見る！

　新聞名がある面を「1面」といい、その日の重要な出来事が載っています。見出しとリードに毎日5分間だけでも目を通せば、時事に強くなるでしょう。

②「総合面」で理解を深めよう！

　1面を開くと、次が「総合面」で1面記事を詳しく解説しています。重要な事柄が整理されているので理解が深まります。多くの新聞は、この総合面に「社説」があり、その時どきの話題についての見解を述べています。各社の「社説」が多くの就職試験問題に採用されています。

③「社会面」は社会を映す鏡だ！

　社会面は多くの新聞では、最後の見開きに載せています。社会的な事件や催し、1面の関連記事などがあり、社会の出来事を映す鏡のような面です。とても大きな事件が起きていても知らないと、話に加わることもできません。社会面は、常識を養う意味でも必ず目を通したいページといえます。また、重要な社告や死亡記事などもあります。

### ［テレビの総合ニュース番組とネットで時事がわかる！］

　NHKや民放で、夜の時間帯に総合ニュース番組を放送しています。新聞は前日のニュースが報道されますが、テレビは「その日の出来事」が報道されます。朝に時間の余裕がなく新聞を読む機会がない人は、この総合ニュース番組を見る習慣をつけましょう。最低限の社会の動きがわかり、翌日の新聞を読む手助けにもなります。また、ネットで関連情報を調べるのも良いでしょう。

### ［時事問題の総合版「年版情報誌」を見る！］

　図書館には年版の総合情報誌があります。『現代用語の基礎知識』（自由国民社）や、各出版社が発行している時事キーワード集などがあり、情報を体系的に調べたり関連事項を知りたいときに便利です。例えば、オリンピック・パラリンピックについて知りたくても、普通の辞典には詳しく載っていませんが、これらの本には体系的に書かれていて、より深い知識が得られます。

# （ 目　　次 ）

## 国語の 常識問題 ・・・・・・・・・・・・・・・・・・・・・・・・・・・ 9

## 社会の 常識問題 ・・・・・・・・・・・・・・・・・・・・・・・・・・・ 53

## 理科の 常識問題 ・・・・・・・・・・・・・・・・・・・・・・・・・・・ 97

# この本の使い方

　本書は、高校卒業生の採用試験に出題されると思われる問題を、各教科ごとにまとめ、実際に企業から出題された問題を織り交ぜて編集してあります。学習効率をなお一層高めるために、以下のような本書の使い方をおすすめします。

## 苦手な分野を克服しよう

　例えば「社会の常識問題」の章では、"日本史の問題" "世界史の問題"……というように、分野ごとに分けられています。順番通りに解いていくのもよいのですが、比較的得意な分野はとばして、苦手な分野を先にすることをおすすめします。本番の試験ではおそらく得意な分野の問題から入るでしょう。その前に苦手意識をとり去ることが大切なのです。得意な分野はいつでも解けるのですから……。

## 繰り返すことで、学習効果がある

　解答・解説は問題のあとに掲載してあります。また、その分野の問題が一通り終わったら、わからない問題については、高校の教科書や参考書、その他の資料で確認し、しっかり理解するようにしてください。そして、本書を全部やり終えたら、答えは合っていたが不安定な箇所、つまずいた箇所をもう一度学習するとベストです。

## 手抜きはしないこと

　自分の苦手な問題や少し難しい問題にぶつかると、「こんな問題は出ないだろう」などと考えて、つい、手抜きをしがちですが、手抜きをしないで、根気よく問題を理解することが大切です。

## 要点のまとめで再確認をしよう

　各教科の後に、「要点のまとめ」が付いています。採用試験に役立つ、覚えておきたい知識が掲載されていますから、その教科を終えた後で知識の再確認をしてください。それにより、より深い知識となって、頭に入ってくることでしょう。

※本書は、原則として令和6年8月31日現在の情報に基づいて編集しています。本書掲載の出題事例中の企業及び団体名は原則として出題当時のものです。

# 国語の常識問題

## 傾向と対策

　日本の企業も大部分の業種でパソコンによる事務処理の合理化やインターネットによる通信の簡略化など、手で文章や伝票などを書く機会が減ってきています。しかし、正しい漢字や故事成句を知らなければ、そのパソコン自体も正確に使えません。現代の就職試験では、難読漢字や長文読解は減る傾向にあります。といっても、正しく理解する力と、豊かな表現力が求められていることに変わりはありません。高校時代の復習と、新聞や書籍を読み通す習慣づけが大切です。

# 読みがなの問題

**1** 次の（ ）の前の漢字の読み方を書きなさい。

① 春の息吹（　　）を感じる。

② 一点を凝視（　　）する。

③ 含蓄（　　）のある話。

④ 容赦（　　）なく攻めたてる。

⑤ 真紅（　　）の大優勝旗。

⑥ 長蛇（　　）の列をなす。

⑦ 建具（　　）店に修理を頼む。

⑧ 体裁（　　）が悪い。

⑨ 道に陽炎（　　）が立つ。

⑩ 委員を委嘱（　　）する。

⑪ 政界の刷新（　　）をはかる。

⑫ 早起きを励行（　　）する。

⑬ 一国の宰相（　　）となる。

⑭ 山林を濫伐（　　）する。

⑮ 胸襟（　　）を開いて語る。

⑯ 逐一（　　）報告する。

**2** 次の（ ）の前の漢字の読み方を書きなさい。

① 国旗が翻（　　）る。

② 潔（　　）く非を認める。

③ 感情を抑（　　）える。

④ 色彩が鮮（　　）やかだ。

⑤ 表情が穏（　　）やかだ。

⑥ 雨で田畑が潤（　　）う。

⑦ 健（　　）やかに育つ。

⑧ 人々から師と仰（　　）がれる。

⑨ 人込みに紛（　　）れる。

⑩ 哀（　　）れな親子。

⑪ 気力が衰（　　）える。

⑫ 相手の言葉を遮（　　）る。

⑬ 人の通行を妨（　　）げる。

⑭ 練習を怠（　　）る。

⑮ 専（　　）らのうわさ。

⑯ 注意を促（　　）す。

**3** 次の（ ）の前の漢字の読み方を書きなさい。

① 雪崩（　　）の危険がある。

② 戦争の名残（　　）をとどめる。

③ ラグビー部の猛者（　　）。

④ 仏前で読経（　　）する。

⑤ 諸国を行脚（　　）する。

⑥ 神々（　　）しい感じがする。

⑦ 大仏の開眼（　　）供養。

⑧ 神仏の功徳（　　）を説く。

⑨ 窓から火影（　　）がもれる。

⑩ 疾病（　　）の有無を調べる。

⑪ 貸し借りを相殺（　　）する。

⑫ 寺院を建立（　　）する。

⑬ 桟敷（　　）から見物する。

**4** 次の（ ）の前の漢字の読み方を書きなさい。

① 詐欺師の常套（　　）手段。

② 同じ所作（　　）を繰り返す。

③ 毅然（　　）とした態度。

④ 久遠（　　）の恵み。

⑤ 近ごろ稀有（　　）な事件。　　⑥ 自慢げに吹聴（　　）する。

⑦ 朴訥（　　）な人柄。　　⑧ 墓穴（　　）を掘る行為だ。

⑨ 仏法に帰依（　　）する。　　⑩ 安堵（　　）の胸をなでおろす。

⑪ 判決に不服で控訴（　　）する。　　⑫ 試験の結果を懸念（　　）する。

⑬ 未踏（　　）の地に入る。　　⑭ 愛情の細（　　）やかな女性。

⑮ 物議を醸（　　）す。　　⑯ 相手が弱いとみて侮（　　）る。

5 次の古語の読み方を書きなさい。

① 校 倉 ② 五 月 ③ 几 帳 ④ 舎 人 ⑤ 睦 月

⑥ 朝 臣 ⑦ 如 月 ⑧ 蔵 人 ⑨ 内 裏 ⑩ 修 験

⑪ 卯 月 ⑫ 狩 衣 ⑬ 単 ⑭ 公 達 ⑮ 直 衣

⑯ 宿 直 ⑰ 阿闍梨 ⑱ 十六夜 ⑲ 殿上人 ⑳ 祝 詞

6 次の植物の読み方を書きなさい。

① 紫陽花 ② 西 瓜 ③ 薔 薇 ④ 無花果 ⑤ 沈丁花

⑥ 柚 子 ⑦ 山茶花 ⑧ 向日葵 ⑨ 胡 瓜 ⑩ 土 筆

⑪ 桔 梗 ⑫ 南 瓜 ⑬ 山 椒 ⑭ 撫 子 ⑮ 筍

## 解答・解説

1 ①いぶき ②ぎょうし ③がんちく ④ようしゃ ⑤しんく ⑥ちょうだ
⑦たてぐ ⑧ていさい ⑨かげろう ⑩いしょく ⑪さっしん ⑫れいこう
⑬さいしょう ⑭らんばつ ⑮きょうきん ⑯ちくいち

2 ①ひるがえ ②いさぎよ ③おさ ④あざ ⑤おだ ⑥うるお ⑦すこ
⑧あお ⑨まぎ ⑩あわ ⑪おとろ ⑫さえぎ ⑬さまた ⑭おこた
⑮もっぱ ⑯うなが

3 ①なだれ ②なごり ③もさ ④どきょう ⑤あんぎゃ ⑥こうごう
⑦かいげん ⑧くどく ⑨ほかげ ⑩しっぺい ⑪そうさい ⑫こんりゅう
⑬さじき

4 ①じょうとう ②しょさ ③きぜん ④くおん ⑤けう ⑥ふいちょう
⑦ぼくとつ ⑧ぼけつ ⑨きえ ⑩あんど ⑪こうそ ⑫けねん ⑬みとう
⑭こま ⑮かも ⑯あなど

5 ①あぜくら ②さつき ③きちょう ④とねり ⑤むつき
⑥あそん（あそみ） ⑦きさらぎ ⑧くろうど ⑨だいり ⑩しゅげん
⑪うづき ⑫かりぎぬ ⑬ひとえ ⑭きんだち ⑮のうし（なおし） ⑯とのい
⑰あじゃり（あざり） ⑱いざよい（いさよい） ⑲てんじょうびと ⑳のりと

6 ①あじさい ②すいか ③ばら ④いちじく ⑤じんちょうげ ⑥ゆず
⑦さざんか ⑧ひまわり ⑨きゅうり ⑩つくし ⑪ききょう ⑫かぼちゃ
⑬さんしょう ⑭なでしこ ⑮たけのこ

**7** ①～⑮の漢字の読み方を、下の ⓐ～ⓣ から選び、記号で答えなさい。

① 雲 雀（　　） ② 蜘 蛛（　　） ③ 時 鳥（　　）

④ 家 鴨（　　） ⑤ 公 魚（　　） ⑥ 百 足（　　）

⑦ 百 舌（　　） ⑧ 木 菟（　　） ⑨ 海 豚（　　）

⑩ 山 雀（　　） ⑪ 駱 駝（　　） ⑫ 啄木鳥（　　）

⑬ 秋刀魚（　　） ⑭ 蟻　（　　） ⑮ 鶉　（　　）

| | | | |
|---|---|---|---|
| ⓐ あひる | ⓑ ふくろう | ⓒ らくだ | ⓓ うずら |
| ⓔ ほととぎす | ⓕ いるか | ⓖ やまがら | ⓗ もず |
| ⓘ はち | ⓙ ひばり | ⓚ さんま | ⓛ みみず |
| ⓜ くも | ⓝ あり | ⓞ もぐら | ⓟ あざらし |
| ⓠ むかで | ⓡ きつつき | ⓢ みみずく | ⓣ わかさぎ |

**8** 次の地名の読み方を書きなさい。

① 常 陸　② 因 幡　③ 甲 斐　④ 隠 岐

⑤ 宿 毛　⑥ 鳥 栖　⑦ 国 東　⑧ 讃 岐

⑨ 蓼 科　⑩ 勿 来　⑪ 出 雲　⑫ 蒲 郡

⑬ 苫小牧　⑭ 越 後　⑮ 糸魚川　⑯ 宍道湖

**9** 次の漢字の読み方を書きなさい。

① 軽 蔑　② 雑 魚　③ 因 縁　④ 知 己

⑤ 勤 行　⑥ 凡 例　⑦ 物 忌　⑧ 言 霊

⑨ 罪 業　⑩ 斉 唱　⑪ 老 舗　⑫ 腫 瘍

⑬ 生 憎　⑭ 権 化　⑮ 納 屋　⑯ 台 頭

⑰ 画 策　⑱ 匿 名　⑲ 掌 握　⑳ 仮 病

## 解答・解説

**7**　①－ⓙ　②－ⓜ　③－ⓔ　④－ⓐ　⑤－ⓣ　⑥－ⓠ　⑦－ⓗ　⑧－ⓢ
⑨－ⓕ　⑩－ⓖ　⑪－ⓒ　⑫－ⓡ　⑬－ⓚ　⑭－ⓝ　⑮－ⓓ

**8**　①ひたち　②いなば　③かい　④おき　⑤すくも　⑥とす　⑦くにさき
⑧さぬき　⑨たてしな　⑩なこそ　⑪いずも　⑫がまごおり　⑬とまこまい
⑭えちご　⑮いといがわ　⑯しんじこ

**9**　①けいべつ　②ざこ　③いんねん　④ちき（ちこ）　⑤ごんぎょう
⑥はんれい　⑦ものいみ　⑧ことだま　⑨ざいごう　⑩せいしょう　⑪しにせ
⑫しゅよう　⑬あいにく　⑭ごんげ　⑮なや　⑯たいとう　⑰かくさく
⑱とくめい　⑲しょうあく　⑳けびょう

**10** 次の漢字の読みがなを（　）内に書きなさい。　(京阪電気鉄道)

① 如　実（　　）　② 折　衷（　　）　③ 斡　旋（　　）

④ 捺　印（　　）　⑤ 陶　冶（　　）　⑥ 遡　及（　　）

⑦ 承（　　）る　⑧ 装（　　）う　⑨ 携（　　）える

⑩ 賄（　　）う

**11** 次の漢字の読み方を書きなさい。

① 命　婦　② 控　除　③ 頒　布　④ 境　内

⑤ 強　欲　⑥ 媒　酌　⑦ 成　就　⑧ 追　悼

⑨ 諮　問　⑩ 虚　空　⑪ 累　積　⑫ 反　故

⑬ 供　物　⑭ 貸　与　⑮ 英　気　⑯ 示　唆

**12** 次の漢字の読み方を書きなさい。

① 為　替　② 数　珠　③ 玄　人　④ 日　和

⑤ 若　輩　⑥ 該　博　⑦ 詩　歌　⑧ 手　綱

⑨ 埋　没　⑩ 絵　画　⑪ 草　履　⑫ 悪　寒

⑬ 発　端　⑭ 由　緒　⑮ 普　請　⑯ 怠　惰

⑰ 大　袈　裟　⑱ 大　音　声　⑲ 未　曽　有　⑳ 矮　小　化

**13** 次の漢字の読み方をひらがなで記入しなさい。

① 遊　説（　　）　② 迎　合（　　）　③ 添　付（　　）

④ 生　粋（　　）　⑤ 赴　任（　　）　⑥ 精　進（　　）

⑦ 描　写（　　）　⑧ 意　図（　　）

## 解答・解説

**10** ①にょじつ　②せっちゅう　③あっせん　④なついん　⑤とうや
⑥そきゅう　⑦うけたまわ　⑧よそお　⑨たずさ　⑩まかな

**11** ①みょうぶ　②こうじょ　③はんぷ　④けいだい　⑤ごうよく
⑥ばいしゃく　⑦じょうじゅ　⑧ついとう　⑨しもん　⑩こくう　⑪るいせき
⑫ほご　⑬くもつ　⑭たいよ　⑮えいき　⑯しさ

**12** ①かわせ　②じゅず　③くろうと　④ひより　⑤じゃくはい　⑥がいはく
⑦しいか　⑧たづな　⑨まいぼつ　⑩かいが　⑪ぞうり　⑫おかん　⑬ほったん
⑭ゆいしょ　⑮ふしん　⑯たいだ　⑰おおげさ　⑱だいおんじょう　⑲みぞう
⑳わいしょうか

**13** ①ゆうぜい　②げいごう　③てんぷ　④きっすい　⑤ふにん　⑥しょうじん
⑦びょうしゃ　⑧いと

**14** 次の漢字の読み方を書きなさい。

① 奮 う　② 繕 う　③ 漂 う　④ 誘 う

⑤ 施 す　⑥ 推 す　⑦ 催 す　⑧ 質 す

⑨ 潜 む　⑩ 弾 む　⑪ 刻 む　⑫ 慎 む

⑬ 映える　⑭ 訪ねる　⑮ 避ける　⑯ 慰める

⑰ 醜 い　⑱ 拙 い　⑲ 報 い　⑳ 快 い

**15** 次の漢字の読み方をひらがなで書きなさい。

① 出 納（　）　② 慶 弔（　）　③ 遵 守（　）

④ 訃 報（　）　⑤ 風 情（　）　⑥ 進 捗（　）

⑦ 頽 廃（　）　⑧ 時 雨（　）　⑨ 更 迭（　）

⑩ 断 食（　）

**16** 次の漢字の読み方を書きなさい。

① 愛 惜　② 彼 我　③ 耳 目　④ 湖 沼

⑤ 老 若　⑥ 雷 鳴　⑦ 徘 徊　⑧ 本 望

⑨ 逍 遥

**17** 次の熟語はすべて年齢についての故事などによる呼び方である。何歳のことか。算用数字で答えなさい。

① 米 寿　② 古 希　③ 不 惑　④ 還 暦

⑤ 白 寿　⑥ 喜 寿　⑦ 知 命

### 解答・解説 ➡

**14** ①ふる　②つくろ　③ただよ　④さそ(いざな)　⑤ほどこ　⑥お　⑦もよお　⑧ただ　⑨ひそ　⑩はず　⑪きざ　⑫つつし　⑬は　⑭たず　⑮さ　⑯なぐさ　⑰みにく　⑱つたな(まず)　⑲むく　⑳こころよ

**15** ①すいとう　②けいちょう　③じゅんしゅ　④ふほう　⑤ふぜい　⑥しんちょく　⑦たいはい　⑧しぐれ　⑨こうてつ　⑩だんじき

**16** ①あいせき(あいじゃく)　②ひが　③じもく　④こしょう　⑤ろうにゃく(ろうじゃく)　⑥らいめい　⑦はいかい　⑧ほんもう　⑨しょうよう

**17** ①べいじゅ－88歳　②こき－70歳　③ふわく－40歳　④かんれき－満60歳(数え年も可)　⑤はくじゅ－99歳　⑥きじゅ－77歳　⑦ちめい－50歳

# 書き取りの問題

---

**1** 次のカタカナを漢字に直しなさい。

① 資料をテイキョウする。　② アンピを気づかう。

③ 能力のゲンカイ。　　　　④ 天地ソウゾウ

⑤ 研究にセンネンする。　　⑥ ヘイゼイの心がけ。

⑦ フソクの事態が起こる。　⑧ ユウワクに負ける。

⑨ 実力をハッキする。　　　⑩ グウゼンの一致。

⑪ メンミツな計画。　　　　⑫ 主張のコンキョを示す。

**2** 次のカタカナを漢字に直しなさい。

① ノウリツよく作業する。　② 会のキヤクを改正する。

③ 優勝杯をカクトクする。　④ 機械がコショウする。

⑤ 鳩は平和のショウチョウ。⑥ ナットクのゆく説明だ。

⑦ 民族がハンエイする。　　⑧ ジュウジツした生活。

⑨ 文化コウエン会を開く。　⑩ 悪条件をコクフクする。

⑪ 運転のこつをエトクする。⑫ ソウゾウが的中する。

**3** 次のカタカナを漢字に直しなさい。

① タイダな生活を改める。　② 深いカンメイを受ける。

③ スンカを惜しんで練習する。④ フンキをうながす。

⑤ 集団ケンシンを受ける。　⑥ チツジョを維持する。

⑦ ホウフな資源を生かす。　⑧ コンナンに打ち勝つ。

⑨ テイネイに取り扱う。　　⑩ ゲンカクに教育する。

⑪ 公園でキュウケイする。　⑫ 平和のオンケイに浴する。

---

### 解答・解説

**1** ①提供　②安否　③限界　④創造　⑤専念　⑥平生　⑦不測　⑧誘惑
⑨発揮　⑩偶然　⑪綿密　⑫根拠

**2** ①能率　②規約　③獲得　④故障　⑤象徴　⑥納得　⑦繁栄　⑧充実
⑨講演　⑩克服　⑪会得　⑫想像

**3** ①怠惰　②感（肝）銘　③寸暇　④奮起　⑤検診　⑥秩序　⑦豊富　⑧困難
⑨丁寧　⑩厳格　⑪休憩　⑫恩恵

国語の常識問題

4　次のカタカナを漢字に直しなさい。
① ヒヤク的な進歩。　　　　② セイコウな機械。
③ 厳重にコウギする。　　　④ 製品にケッカンがある。
⑤ 警報をカイジョする。　　⑥ ショウドウ的な犯行。
⑦ 自然をハカイする。　　　⑧ 夏物のイッソウ大売出し。
⑨ 新聞に広告をケイサイする。⑩ 欠点をシテキする。
⑪ カンケツに要約する。　　⑫ 物的ショウコをつかむ。

5　次のカタカナを漢字に直しなさい。
① 鋭いシンビガン（　　　）のある人。
② ダンマツマ（　　　）の苦しみ。
③ 合格のタイコバン（　　　）を押される。
④ 古寺にサンケイ（　　　）する。
⑤ 興奮がサイコウチョウ（　　　）に達する。
⑥ ブアイソウ（　　　）な返事にむっとする。
⑦ シュウカンシ（　　　）を読む。

6　次の下線部の漢字が正しければ〇、誤りがあれば直しなさい。
① うれしくて宇頂天になる。　② 下熱剤を飲んで寝る。
③ 事件の前後策を考える。　　④ 徹底的に黙秘権を行使する。
⑤ 五・七調の定形詩。　　　　⑥ 古代文明の発生地。
⑦ 破天候の大事業。　　　　　⑧ 亡父の墓碑銘を読む。

7　次のカタカナを漢字に直しなさい。
① 柿の実がジュク（　　　）す。　② 姉がヌ（　　　）い物をする。
③ アワ（　　　）い望み。　　　　④ 馬がアバ（　　　）れだす。
⑤ 映画にサソ（　　　）われる。　⑥ 得意そうに胸をソ（　　　）らす。
⑦ 全員をヒキ（　　　）いて行く。　⑧ 小舟をアヤツ（　　　）る。
⑨ 驚きで息がツ（　　　）まる。　⑩ おわんのヌ（　　　）りがはげる。

### 解答・解説

4　①飛躍　②精巧　③抗議　④欠陥　⑤解除　⑥衝動　⑦破壊　⑧一掃
⑨掲載　⑩指摘　⑪簡潔　⑫証拠
5　①審美眼　②断末魔　③太鼓判　④参詣　⑤最高潮　⑥無愛想　⑦週刊誌
6　①宇→有　②下→解　③前→善　④〇　⑤形→型　⑥生→祥　⑦候→荒　⑧〇
7　①熟　②縫　③淡　④暴　⑤誘　⑥反　⑦率　⑧操　⑨詰　⑩塗

**8** 次のカタカナを漢字に直しなさい。

① { ㋐ 絵画をセイサク（　　　）する。
　　㋑ 自動車の部品をセイサク（　　　）する。

② { ㋐ 大地がシンドウ（　　　）する。
　　㋑ 車体のシンドウ（　　　）が激しい。

③ { ㋐ 臨時国会をショウシュウ（　　　）する。
　　㋑ 委員をショウシュウ（　　）して会議を開く。

④ { ㋐ 易しい言葉にカンゲン（　　　）する。
　　㋑ 利益を社会にカンゲン（　　　）する。

⑤ { ㋐ イジョウ（　　）な行動が目立つ。
　　㋑ 体にイジョウ（　　）が現れる。

**9** 次のカタカナを文意にあうように漢字に直しなさい。

① （ソウイ）工夫をこらす。　いくつかの（ソウイ）点がある。
② （シンジョウ）を吐露する。　誠実を（シンジョウ）とする。
③ 権利を（ホウキ）する。　これは（ホウキ）として定めてある。
④ （ガイトウ）演説。　憲法第一条に（ガイトウ）する。
⑤ 事の（シンギ）を確かめる。　議案を（シンギ）する。

**10** 次のカタカナに適する漢字を㋐〜㋒から選び、記号で答えなさい。

① 満場イギ（　　）なし、の声。　　㋐ 異議　㋑ 異義　㋒ 意義
② 両者のイドウ（　　）を調べる。　㋐ 異動　㋑ 異同　㋒ 移動
③ 赤と白のタイショウ（　　）が美しい。
　　　　　　　　　　　　　㋐ 対象　㋑ 対照　㋒ 対称
④ キテイ（　　）の方針で進む。　㋐ 規定　㋑ 規程　㋒ 既定
⑤ 当局の責任をツイキュウ（　　）する。
　　　　　　　　　　　　　㋐ 追究　㋑ 追及　㋒ 追求
⑥ 問題のカクシン（　　）をつく。　㋐ 確信　㋑ 核心　㋒ 革新
⑦ 十分にケントウ（　　）する。　㋐ 見当　㋑ 健闘　㋒ 検討
⑧ 車のシンニュウ（　　）を禁止する。㋐ 侵入　㋑ 進入　㋒ 浸入

**解答・解説**

**8** ①㋐制作　㋑製作　②㋐震動　㋑振動　③㋐召集　㋑招集
④㋐換言　㋑還元　⑤㋐異常　㋑異状
**9** ①創意　相違　②真情　信条　③放棄　法規　④街頭　該当　⑤真偽　審議
**10** ①㋐　②㋑　③㋑　④㋒　⑤㋑　⑥㋑　⑦㋒　⑧㋑

国語の常識問題

**11** 次のカタカナに適する漢字を㋐〜㋒から選び、記号で答えなさい。

① 候補者としてスス（　）める。　　㋐ 勧　㋑ 薦　㋒ 進
② 友人の死をイタ（　）む。　　　　㋐ 痛　㋑ 傷　㋒ 悼
③ 水の深さをハカ（　）る。　　　　㋐ 計　㋑ 測　㋒ 量
④ 映画で主役をツト（　）める。　　㋐ 務　㋑ 勤　㋒ 努
⑤ 反乱をシズ（　）める。　　　　　㋐ 鎮　㋑ 静　㋒ 沈

**12** 次のカタカナの部分を漢字に直しなさい。

① シンチョウ（　）に、シンギ（　）する。
② シャカイフクシ（　）に、コウケン（　）する。
③ ムジュン（　）をシテキ（　）する。
④ センパイ（　）のセワ（　）になる。
⑤ ナンパセン（　）がシズ（　）んだ。

**13** 次のカタカナを漢字に直しなさい。

① ㋐ 少年時代を懐かしくカエリ（　）みる。
　 ㋑ 自分の行いをカエリ（　）みる。
② ㋐ 雪解けで水かさがフ（　）える。
　 ㋑ 財産がフ（　）える。
③ ㋐ 美しい音楽をキ（　）く。
　 ㋑ この薬はよくキ（　）く。
　 ㋒ 答えを先生にキ（　）く。
　 ㋓ 彼は左キ（　）きだ。
④ ㋐ 審議会にハカ（　）る。
　 ㋑ 升でハカ（　）る。
　 ㋒ 会社の合理化をハカ（　）る。
　 ㋓ 暗殺をハカ（　）る。

**14** 次のカタカナに適する漢字を記号で選びなさい。

① 会社のギョウセキが上がる。　　（Ａ業積　Ｂ業責　Ｃ業績）
② 会社がトウサンした。　　　　　（Ａ倒産　Ｂ討産　Ｃ到産）
③ 秋のシュウカク期は忙しい。　　（Ａ収獲　Ｂ集穫　Ｃ収穫）
④ 旅行に生徒をインソツする。　　（Ａ引率　Ｂ引卒　Ｃ員卒）
⑤ 試験をサイテンする。　　　　　（Ａ債点　Ｂ採点　Ｃ済点）
⑥ 進路をボウガイする。　　　　　（Ａ防害　Ｂ肪害　Ｃ妨害）
⑦ 班のコンシンをはかる。　　　　（Ａ懇身　Ｂ懇親　Ｃ混信）
⑧ 彼のタイマンを許すな。　　　　（Ａ怠漫　Ｂ怠慢　Ｃ怠幔）

**15** 次にあげる漢字は、読み方によって異なる意味になる。カタカナで書かれている熟語を漢字になおして（　　）に書き、それぞれの漢字の読み方に対応する意味を、A～Hから選んで〔　　〕内に記入しなさい。

①率 ｛ ソッチョク（　　　）　　ケイソツ（　　　）〔　　　〕
　　　　ゼイリツ（　　　）　　ノウリツ（　　　）〔　　　〕

②易 ｛ ボウエキ（　　　）　　エキシャ（　　　）〔　　　〕
　　　　ヨウイ（　　　）　　　カンイ（　　　）〔　　　〕

③悪 ｛ アクイ（　　　）　　　　　　　　　　　　　〔　　　〕
　　　　ゾウオ（　　　）　　ケンオ（　　　）〔　　　〕

④楽 ｛ コウラク（　　　）　　ゴクラク（　　　）〔　　　〕
　　　　ソウガク（　　　）　　ゲンガク（　　　）〔　　　〕

A　たやすい。手軽にする。　　　B　わりあい。仕事のはかどり方。
C　わるい。みにくい。　　　　　D　音楽。かなでる。
E　たのしい。たのしむ。　　　　F　ありのまま。軽々しい。
G　かえる。かわる。うらなう。　H　にくむ。きらう。

**16** 次のカタカナを漢字にしなさい。

① ショウケン会社を行政ショブンにかける。
② コウリツのわるい仕事にモンクをいう。
③ ガクシキのある人。　④ ことわざをキオクする。
⑤ 注意をカンキする。　⑥ なかなかガンチクのある言葉。

## 解答・解説

**11** ①－イ　②－ウ　③－イ　④－ア　⑤－ア

**12** ①慎重・審議　②社会福祉・貢献　③矛盾・指摘　④先輩・世話
⑤難破船・沈

**13** ①－ア顧　イ省　②－ア増　イ殖　③－ア聴　イ効　ウ聞（訊）エ利
④－ア諮　イ量　ウ図　エ謀

**14** ①－C　②－A　③－C　④－A　⑤－B　⑥－C　⑦－B　⑧－B

**15** ①率 ｛ 率直　軽率　F
　　　　　 税率　能率　B
　　　②易 ｛ 貿易　易者　G
　　　　　　 容易　簡易　A
　　　③悪 ｛ 悪意　　　　C
　　　　　 憎悪　嫌悪　H
　　　④楽 ｛ 行楽　極楽　E
　　　　　　 奏楽　弦楽　D

**16** ①証券　処分　②効率　文句　言　③学識　④記憶　⑤喚起　⑥含蓄

# 熟語・成句・反対語の問題

**1** 次の四字熟語の□の中に入る漢字を㋐〜㋓から１つずつ選び、記号で答えなさい。

① 意味深□　　㋐ 深　㋑ 津　㋒ 長　㋓ 浅

② 優柔不□　　㋐ 段　㋑ 断　㋒ 信　㋓ 明

③ 不即□離　　㋐ 無　㋑ 不　㋒ 有　㋓ 定

④ 一□一会　　㋐ 見　㋑ 度　㋒ 目　㋓ 期

⑤ □人未到　　㋐ 万　㋑ 全　㋒ 一　㋓ 前

⑥ 傍若□人　　㋐ 美　㋑ 婦　㋒ 無　㋓ 老

⑦ 大同小□　　㋐ 違　㋑ 同　㋒ 異　㋓ 似

**2** 次の四字熟語の中で、誤字のあるものを１つずつ選びなさい。

① ㋐ 神出鬼没　㋑ 虚心胆懐　㋒ 栄枯盛衰　㋓ 夏炉冬扇

② ㋐ 外柔内強　㋑ 取捨選択　㋒ 公明正大　㋓ 危機一髪

③ ㋐ 群雄割拠　㋑ 意気衝天　㋒ 不和雷同　㋓ 枝葉末節

④ ㋐ 玉石混交　㋑ 古色蒼然　㋒ 同功異曲　㋓ 無我夢中

⑤ ㋐ 粉骨砕身　㋑ 一騎当千　㋒ 晴天白日　㋓ 温厚篤実

**3** 次の語の反対語を書きなさい。

① 結果（　　　）　② 正当（　　　）　③ 統一（　　　）

④ 敗北（　　　）　⑤ 悲観（　　　）　⑥ 肯定（　　　）

⑦ 義務（　　　）　⑧ 質疑（　　　）　⑨ 安全（　　　）

**4** 次のＡ群とＢ群の語をつなぎ、四字熟語を完成しなさい。

［Ａ群］

① 勧善　② 東奔

③ 呉越　④ 天衣

⑤ 泰然　⑥ 疾風

⑦ 臥薪　⑧ 片言

⑨ 深謀

［Ｂ群］

㋐ 西走　㋑ 満帆　㋒ 姑息

㋓ 壮語　㋔ 嘗胆　㋕ 騒然

㋖ 無縫　㋗ 迅雷　㋘ 東風

㋙ 同舟　㋚ 自若　㋛ 隻語

㋜ 遠慮　㋝ 懲悪　㋞ 術数

5　次の①〜⑧の語に対する対義語または類義語として、最も適当なもの
を、㋐〜㋓から１つずつ選び、記号で答えなさい。

対義語・類義語

① 険悪　　　㋐ 不審　㋑ 不穏　㋒ 危険　㋓ 普通
② 共鳴　　　㋐ 同志　㋑ 合唱　㋒ 共同　㋓ 共感
③ 親友　　　㋐ 知己　㋑ 友人　㋒ 兄弟　㋓ 級友
④ 倹約　　　㋐ 浪費　㋑ 質実　㋒ 豪華　㋓ 貧困
⑤ 混乱　　　㋐ 散乱　㋑ 混合　㋒ 秩序　㋓ 整理
⑥ 詳細　　　㋐ 委細　㋑ 細分　㋒ 精密　㋓ 縮小
⑦ 自発　　　㋐ 率直　㋑ 独立　㋒ 強制　㋓ 個性
⑧ 抵抗　　　㋐ 撤退　㋑ 屈服　㋒ 征服　㋓ 勝利

6　次の語に対する対義語として最も適当なものを、右の語群から選び、
記号で答えなさい。　　　　　　　　[語群]

① 促進（　　）　② 簡略（　　）　　㋐ 煩雑　㋑ 漠然　㋒ 概略
③ 故意（　　）　④ 敏速（　　）　　㋓ 失敗　㋔ 抑制　㋕ 粗雑
⑤ 愛護（　　）　⑥ 過激（　　）　　㋖ 過失　㋗ 精密　㋘ 緩慢
⑦ 歴然（　　）　　　　　　　　　　㋙ 冷静　㋚ 偶然　㋛ 虐待
　　　　　　　　　　　　　　　　　　㋜ 機敏　㋝ 進歩　㋞ 穏健

7　次のカタカナを漢字に直しなさい。

① 社会フクシ（　　）　　　　② 人権ヨウゴ（　　）
③ 不正ユウシ（　　）　　　　④ ダンガイ（　　）裁判
⑤ 資格シンサ（　　）　　　　⑥ ケンギョウ（　　）農家
⑦ 国際フンソウ（　　）　　　⑧ カンキョウ（　　）破壊

## 解答・解説

1　①−㋒　②−㋑　③−㋑　④−㋓　⑤−㋓　⑥−㋒　⑦−㋒
2　①−㋑（胆→坦）　②−㋐（強→剛）　③−㋒（不→付（附））　④−㋒（功→工）
　⑤−㋒（晴→青）
3　①原因　②不当　③分裂　④勝利　⑤楽観　⑥否定　⑦権利　⑧応答
　⑨危険
4　①−㋝　②−㋐　③−㋙　④−㋖　⑤−㋚　⑥−㋗　⑦−㋔
　⑧−㋛　⑨−㋜
5　①−㋑　②−㋓　③−㋐　④−㋐　⑤−㋒　⑥−㋐　⑦−㋒　⑧−㋑
6　①−㋔　②−㋐　③−㋖　④−㋘　⑤−㋛　⑥−㋞　⑦−㋑
7　①福祉　②擁護　③融資　④弾劾　⑤審査　⑥兼業　⑦紛争　⑧環境

8 次の四字熟語が完全となるよう、□□にあてはまる二字をＡ群から選び、また完成した四字熟語の意味をＢ群から選んで、それぞれ該当の（ ）に記号を書きなさい。 (京阪電気鉄道)

         [Ａ群] [Ｂ群]           [Ａ群] [Ｂ群]

① □□一律 –（ ）–（ ）  ② □□回生 –（ ）–（ ）

③ 朝令□□ –（ ）–（ ）  ④ 紆余□□ –（ ）–（ ）

⑤ 画竜□□ –（ ）–（ ）

  [Ａ群] ⓐ点晴 ⓑ千編 ⓒ狗肉 ⓓ曲折 ⓔ無実 ⓕ荒唐
        ⓖ急転 ⓗ起死 ⓘ千金 ⓙ暮改

  [Ｂ群] ㋑ どれも同じ調子で変化のないこと。

       ㋺ 事を完成させるために最後に加える大切な仕上げ。

       ㋩ 危機を救い、事態が好転すること。

       ㋥ 事情がこみいって、何度も変化すること。

       ㋭ よりどころがなく、でたらめなこと。

       ㋬ 命令、法律がたびたび変わること。

9 次の語に対する類義語として最も適当なものを、右の語群から選び、記号で答えなさい。

① 憶測（ ）    [語群] ㋐ 変遷 ㋑ 失態 ㋒ 礼儀

② 中枢（ ）        ㋓ 推測 ㋔ 執着 ㋕ 集中

③ 感想（ ）        ㋖ 所感 ㋗ 慎重 ㋘ 専心

④ 推移（ ）        ㋙ 倫理 ㋚ 遺憾 ㋛ 感動

⑤ 没頭（ ）        ㋜ 回想 ㋝ 核心 ㋞ 合法

⑥ 残念（ ）

⑦ 道徳（ ）

10 次の熟語から正しいものを選び、〇でかこみなさい。 (北四銀行)

① 主客転倒　主客転踏    ② 言語道断　言語同断

③ 四面祖歌　四面楚歌    ④ 疑心暗鬼　疑心暗気

⑤ 絶体絶命　絶対絶命

---

### 解答・解説

8 ①–ⓑ・㋑ ②–ⓗ・㋩ ③–ⓙ・㋬ ④–ⓓ・㋥ ⑤–ⓐ・㋺

9 ①–㋓ ②–㋝ ③–㋖ ④–㋐ ⑤–㋘ ⑥–㋚ ⑦–㋙

10 ①主客転倒 ②言語道断 ③四面楚歌 ④疑心暗鬼 ⑤絶体絶命

11　次の熟語に誤りがあれば、訂正しなさい。

① 意気健康（　　）　② 風光明美（　　）　③ 大言騒語（　　）

④ 温古知新（　　）　⑤ 尊族殺人（　　）　⑥ 群集真理（　　）

⑦ 危急存忘（　　）　⑧ 自号自得（　　）　⑨ 喜怒愛楽（　　）

⑩ 興味深深（　　）　⑪ 奇相天外（　　）　⑫ 原価消却（　　）

⑬ 短刀直入（　　）　⑭ 異句同音（　　）　⑮ 一触速発（　　）

12　次の熟語の類義語を書きなさい。 （名古屋鉄道）

① 薄　情（　　）　② 一　生（　　）　③ 有　名（　　）

④ 風　潮（　　）　⑤ 沈　着（　　）　⑥ 名　人（　　）

⑦ 天　国（　　）　⑧ 動　機（　　）　⑨ 自　白（　　）

⑩ 応　答（　　）　⑪ 借　金（　　）　⑫ 気　化（　　）

13　次の□の中に下記の⑦〜⊐の中から漢字を選んで四字熟語を作り、その意味を右のA〜Jの中から選びなさい。

① 四苦□苦 [　　]　　A　心を一つのことに集中しているようす。

② 一□二鳥 [　　]　　B　絶望的な状態のものを立ち直らせること。

③ □心不乱 [　　]　　C　非常な苦しみ。

④ □載一遇 [　　]　　D　自分の意見がなく、他人の意見にわけもわからず従うこと。

⑤ 心□一転 [　　]　　E　大人物は、遅くなって大成すること。

⑥ 大□晩成 [　　]　　F　絶体絶命のきけんをのがれること。

⑦ □機一髪 [　　]　　G　一つのことをして、二つの利益を得ること。

⑧ □死回生 [　　]　　H　よいと思ったら、だまって行動すること。

⑨ □言実行 [　　]　　I　あることで、心を入れかえること。

⑩ □和雷同 [　　]　　J　すばらしいチャンスのこと。

⑦ 起　⑦ 石　⑦ 機　⊖ 一　⑦ 八

⑦ 千　⑧ 不　⑦ 危　⑦ 付　⊐ 器

## 解答・解説

11　①健康→軒昂　②美→媚　③騒→壮　④古→故　⑤族→属　⑥真→心
⑦忘→亡　⑧号→業　⑨愛→哀　⑩深深→津津　⑪相→想　⑫原→減・消→償
⑬短→単　⑭句→口　⑮速→即

12　①冷淡　②終生（生涯・終世も正解）　③著名　④傾向　⑤冷静
⑥達人　⑦極楽　⑧原因　⑨白状　⑩返事　⑪負債　⑫蒸発

13　①　⑦−C　②　⑦−G　③　⊖−A　④　⑦−J　⑤　⑦−I
⑥　⊐−E　⑦　⑦−F　⑧　⑦−B　⑨　⑧−H　⑩　⑦−D

# 故事・ことわざの問題

**1** 次のことわざ、故事成句の意味を、⑦〜⑦から選び、記号で答えなさい。

① 鶏口となるも牛後となるなかれ　② 鹿を逐う者は山を見ず

③ 点滴石を穿つ　④ 船頭多くして船山にのぼる

⑤ 仏作って魂入れず

　⑦ いちばんかんじんなところが抜けている。

　⑦ 大きな目的をもっている者は、小さいことには目もくれない。

　⑦ 微力でも根気よくやれば成功する。

　⑦ みんなで力を合わせれば、どんな困難なことでも実現できる。

　⑦ 信仰は形にはとらわれない。

　⑦ 大なるものの後につき従うよりも、いっそ小さいものの頭となれ。

　⑦ 急いでするより、ゆっくりするほうがよい。

　⑦ 指図する人が多いために、かえって事がうまくいかない。

　⑦ 私欲に目がくらむと、大事な道理を忘れる。

**2** 次のことわざと似た意味のことわざを、⑦〜⑦から選び、記号で答えなさい。

① 猫に小判　　　　　　　　　　⑦ ぬかに釘

② のれんに腕押し　　　　　　　⑦ どんぐりの背比べ

③ 急がば回れ　　　　　　　　　⑦ 馬の耳に念仏

④ 念には念を入れる　　　　　　⑦ 河童の川流れ

⑤ 蛙の子は蛙　　　　　　　　　⑦ せいては事をしそんじる

⑥ 弘法にも筆の誤り　　　　　　⑦ 石橋をたたいて渡る

　　　　　　　　　　　　　　　⑦ 一石二鳥

　　　　　　　　　　　　　　　⑦ 瓜のつるになすびはならぬ

　　　　　　　　　　　　　　　⑦ 後悔先に立たず

## 解答・解説

**1** ①−⑦　②−⑦　③−⑦　④−⑦　⑤−⑦

**2** ①−⑦　②−⑦　③−⑦　④−⑦　⑤−⑦　⑥−⑦

3　（　）の中にあてはまるものを㋐〜㋚から選び、慣用句を完成しなさい。ただし㋐〜㋚の語は一度しか使ってはならない。

① （　　）であしらう。　　② （　　）に火がつく。
③ （　　）が減らない。　　④ （　　）の垢を煎じて飲む。
⑤ （　　）にたこができる。　⑥ （　　）を丸める。
⑦ （　　）をこがす。　　　⑧ （　　）を運ぶ。
⑨ （　　）を探る。　　　　⑩ （　　）を切る。
⑪ （　　）を回す。　　　　⑫ （　　）が利く。

㋐ 目　㋑ 鼻　㋒ 口　㋓ 耳　㋔ 頭　㋕ 顔　㋖ 胸　㋗ 腹
㋘ 手　㋙ 足　㋚ 爪　㋛ 尻

4　次のA群のことわざ等の意味をB群から選び、記号で答えなさい。

[A群] ① 餅は餅屋　（　）　② 木に竹をつぐ　（　）
③ 李下に冠を正さず（　）　④ 爪に火をともす（　）
⑤ お茶をにごす（　）　　⑥ 清濁併せ呑む（　）
⑦ 九牛の一毛（　）　　⑧ 春秋に富む（　）
⑨ 蛇の道は蛇（　）　　⑩ 蛙の面に水（　）

[B群] Ⓐ とるにたらぬこと。　　Ⓑ その場をとりつくろう。
Ⓒ 度量の大きいこと。　　Ⓓ 年若く将来が長いこと。
Ⓔ ひどくけちなこと。　　Ⓕ 何をされても平気なさま。
Ⓖ 他人の嫌疑を受けやすい行動は避けたほうがよい。
Ⓗ 同じ仲間のことなら仲間にはすぐわかる。
Ⓘ 物事には、それぞれの専門家があるということ。
Ⓙ 物が釣り合わずに、ちぐはぐなこと。

## 解答・解説

3　①-㋑　②-㋛　③-㋒　④-㋚　⑤-㋓　⑥-㋔　⑦-㋖　⑧-㋘
⑨-㋗　⑩-㋘　⑪-㋐　⑫-㋕
4　①-Ⓘ　②-Ⓙ　③-Ⓖ　④-Ⓔ　⑤-Ⓑ　⑥-Ⓒ　⑦-Ⓐ　⑧-Ⓓ
⑨-Ⓗ　⑩-Ⓕ

**5** 次の（　）の中にあてはまる動物名を下の@〜◎から選び、故事成語・ことわざを完成しなさい。

① （　　）の一声　　　　　　② （　　　）の頭も信心から

③ えびで（　　）を釣る　　　④ （　　　）の一穴天下の破れ

⑤ （　　）百まで踊り忘れず　⑥ 生き（　　）の目を抜く

⑦ （　　）に見こまれた蛙　　⑧ （　　　）の甲より年の功

⑨ （　　）の尾を踏む　　　　⑩ （　　　）も歩けば棒にあたる

　@ 犬　ⓑ 猫　ⓒ 馬　ⓓ 牛　ⓔ 猿　ⓕ 豚　ⓖ 虎　ⓗ 鰯
　ⓘ 鯛　ⓙ 蛙　ⓚ 亀　ⓛ 蛇　ⓜ 雀　ⓝ 鶴　ⓞ 蟻

**6** 次のことわざや故事成句の意味を、㋐〜㋒から選びなさい。

① 六日の菖蒲十日の菊

　㋐ 菖蒲の見頃は六日間、菊の見頃は十日間、すなわち物の盛り。

　㋑ 必要なときに間に合わない。　㋒ 万事手抜かり。

② 大山鳴動鼠一匹

　㋐ 何が起こっても要領よく身を処すること。

　㋑ 何が起こっても泰然自若としていること。

　㋒ 前ぶれは大きいが、これといったことは起こらないこと。

③ 寸鉄人を刺す

　㋐ 小さくて弱い者をいじめる。

　㋑ じわじわと相手を攻め立てる。

　㋒ 短い言葉で相手の急所をつく。

**7** 次のことわざの（　）の中にあてはまる語を、㋑〜㋭から選び、記号で答えなさい。

① 一寸の虫にも（　　）の魂

　㋑ 一尺　㋺ 一寸　㋩ 八分　㋥ 五分　㋭ 二分

② 禍福はあざなえる（　　）のごとし

　㋑ 縄　㋺ 花　㋩ 脚　㋥ 村　㋭ 船

③ （　　）高きが故に貴からず

　㋑ 馬　㋺ 鹿　㋩ 山　㋥ 川　㋭ 人

④ （　　）は方円の器にしたがう

　㋑ 水　㋺ 米　㋩ 人　㋥ 金　㋭ 家

8　次の①、②の故事成句と反対の意味を示しているものを㋐〜㋗から
選び、記号で答えなさい。

①　画竜点睛

　　㋐　千里の行も一歩より　㋑　絵に描いた餅　㋒　九仞の功を一簣に
虧く　㋓　竜頭蛇尾　㋔　蟻の穴から堤もくずれる

②　不倶戴天

　　㋐　因果応報　㋑　相思相愛　㋒　福徳円満　㋓　偕老同穴
㋔　刎頸之交

9　次のことわざに、最も似たものを㋐〜㋒から選び、記号を書きなさい。

(日本ペイント、日本毛織)

①　医者の不養生（　　　）

　　Ⓐ　紺屋の白ばかま　　Ⓑ　年寄りのひや水　　Ⓒ　悪女の深情け

②　二兎を追う者は一兎をも得ず（　　　）

　　Ⓐ　柳の下のどじょう　　Ⓑ　中原に鹿を追う　　Ⓒ　あぶはち取らず

③　豆腐にかすがい（　　　）

　　Ⓐ　やみ夜に鉄砲　　Ⓑ　ぬかに釘　　Ⓒ　豚に真珠

④　馬の耳に念仏（　　　）

　　Ⓐ　漁夫の利　　Ⓑ犬も歩けば棒に当たる　Ⓒ　猫に小判

⑤　猿も木から落ちる（　　　）

　　Ⓐ　河童の川流れ　　Ⓑ　仏の顔も三度　　Ⓒ　石の上にも三年

⑥　提灯に釣鐘（　　　）

　　Ⓐ　月とすっぽん　　Ⓑ　灯台下暗し　　Ⓒ　九牛の一毛

⑦　弱り目にたたり目（　　　）

　　Ⓐ　怪我の功名　　Ⓑ　鳶が鷹を生む　　Ⓒ　泣き面に蜂

◤解答・解説

5　①−ⓝ　②−ⓗ　③−ⓘ　④−ⓞ　⑤−ⓜ　⑥−ⓒ　⑦−ⓛ　⑧−ⓚ
⑨−ⓖ　⑩−ⓐ
6　①−㋑　②−㋒　③−㋒
7　①−㈡　②−㋑　③−㈧　④−㋑
8　①−㋒　②−㋔
9　①−Ⓐ　②−Ⓒ　③−Ⓑ　④−Ⓒ　⑤−Ⓐ　⑥−Ⓐ　⑦−Ⓒ

# 文学作品・文学史の問題

**1** 次の作品の読み方を書き、その作者名を漢字で書きなさい。

① 虞美人草　（　　　　　　　　）　〔　　　　　　　　　〕

② 芋　粥　（　　　　　　　　）　〔　　　　　　　　　〕

③ 蒲　団　（　　　　　　　　）　〔　　　　　　　　　〕

④ 雁　　　（　　　　　　　　）　〔　　　　　　　　　〕

⑤ 婦系図　（　　　　　　　　）　〔　　　　　　　　　〕

**2** 次の作品について、A群から作者を、B群からその成立した時代を選びなさい。

① 方丈記　　　　［A群］　ⓐ 藤原道綱の母　　［B群］　㋐ 奈良時代

② 更級日記　　　　　　　ⓑ 契　　冲　　　　　　　　㋑ 平安時代

③ 蜻蛉日記　　　　　　　ⓒ 鴨長明　　　　　　　　　㋒ 鎌倉時代

④ 日本霊異記　　　　　　ⓓ 吉田兼好　　　　　　　　㋓ 室町時代

⑤ 玉勝間　　　　　　　　ⓔ 菅原孝標女（むすめ）　　　㋔ 江戸時代

⑥ にごりえ　　　　　　　ⓕ 藤原定家　　　　　　　　㋕ 明治時代

　　　　　　　　　　　　ⓖ 樋口一葉　　　　　　　　㋖ 大正時代

　　　　　　　　　　　　ⓗ 本居宣長　　　　　　　　㋗ 昭和時代

　　　　　　　　　　　　ⓘ 景　　戒

　　　　　　　　　　　　ⓙ 与謝野晶子

**3** A群の作品の作者をB群から選びなさい。

［A群］

① 夜明け前　② 伊豆の踊子　③ 暗夜行路　④ 友情

⑤ 小説神髄　⑥ 生れ出づる悩み　⑦ 出家とその弟子

⑧ 斜陽　⑨ 田舎教師　⑩ たけくらべ

［B群］

㋐ 夏目漱石　㋑ 武者小路実篤　㋒ 川端康成　㋓ 田山花袋

㋔ 倉田百三　㋕ 太宰治　㋖ 坪内逍遙　㋗ 芥川龍之介

㋘ 有島武郎　㋙ 志賀直哉　㋚ 島崎藤村　㋛ 樋口一葉

4　次の作品に最も関係の深い人名を下から選び、記号を（　）に書きなさい。
（ブルーチップ、タイキン工業）

① 守銭奴（　）　　② 五重塔（　）　　③ 学問のすゝめ（　）

④ 不如帰（　）　　⑤ 老人と海（　）　　⑥ 真夏の夜の夢（　）

⑦ 春琴抄（　）　　⑧ 野菊の墓（　）　　⑨ 銀河鉄道の夜（　）

⑩ 若菜集（　）　　⑪ 夜間飛行（　）　　⑫ 戦争と平和（　）

⑬ 高野聖（　）　　⑭ 一握の砂（　）　　⑮ 月と六ペンス（　）

⑯ 武蔵野（　）　　⑰ みだれ髪（　）　　⑱ 静かなるドン（　）

Ⓐ 島崎藤村　　Ⓑ 谷崎潤一郎　　Ⓒ 宮沢賢治　　Ⓓ ショーロホフ

Ⓔ 徳冨蘆花　　Ⓕ 与謝野晶子　　Ⓖ トルストイ　　Ⓗ ヘミングウェー

Ⓘ 幸田露伴　　Ⓙ 国木田独歩　　Ⓚ モリエール　　Ⓛ シェークスピア

Ⓜ 福沢諭吉　　Ⓝ 伊藤左千夫　　Ⓞ モーム　　Ⓟ サンテグジュペリ

Ⓠ 石川啄木　　Ⓡ 泉　鏡花

## ▌解答・解説

**1**　①ぐびじんそう・夏目漱石　②いもがゆ・芥川龍之介　③ふとん・田山花袋　④がん・森鷗外　⑤おんなけいず・泉鏡花　〈解説〉　夏目漱石には他にも「坊っちゃん」「三四郎」「草枕」「明暗」などが、芥川龍之介には他にも「鼻」「羅生門」「河童」などが、森鷗外には他にも、「舞姫」「山椒太夫」「高瀬舟」などがある。

**2**　①－ⓒ・ウ　②－ⓔ・イ　③－ⓐ・イ　④－ⓘ・イ　⑤－ⓗ・オ　⑥－ⓖ・カ　〈解説〉　平安時代の文学作品として他に、「源氏物語」（紫式部）、「枕草子」（清少納言）、「土佐日記」（紀貫之）などがある。江戸時代の文学作品として他に、「浮世草子」（井原西鶴）、「冥途の飛脚」（近松門左衛門）、「南総里見八犬伝」（滝沢馬琴）、「雨月物語」（上田秋成）などがある。

**3**　①－ⓈⒶ　②－ウ　③－ⓈⒸ　④－イ　⑤－キ　⑥－ケ　⑦－オ　⑧－カ　⑨－エ　⑩－シ　〈解説〉　川端康成には他にも「雪国」「古都」などの作品が、太宰治には他にも「走れメロス」「人間失格」などの作品が、志賀直哉には他にも「城の崎にて」「清兵衛と瓢箪」などの作品がある。

**4**　①－Ⓚ　②－Ⓘ　③－Ⓜ　④－Ⓔ　⑤－Ⓗ　⑥－Ⓛ　⑦－Ⓑ　⑧－Ⓝ　⑨－Ⓒ　⑩－Ⓐ　⑪－Ⓟ　⑫－Ⓖ　⑬－Ⓡ　⑭－Ⓠ　⑮－Ⓞ　⑯－Ⓙ　⑰－Ⓕ　⑱－Ⓓ　〈解説〉　谷崎潤一郎には他に「痴人の愛」「細雪」などの作品が、宮沢賢治には他に「風の又三郎」などの作品がある。ショーロホフはロシアの小説家。モリエールはフランスの劇作家。シェークスピアはイギリスの劇作家で、他に「ハムレット」「リア王」「ベニスの商人」などの作品がある。サマセット・モームはイギリスの小説家。サンテグジュペリはフランスの小説家で、他に「星の王子さま」などの作品がある。

5　次の作品の作者を下から選び、記号で答えなさい。
① 罪と罰（　）　　② 老人と海（　）　　③ 風と共に去りぬ（　）
④ 赤と黒（　）　　⑤ 戦争と平和（　）
　Ⓐ　ドストエフスキー　　Ⓑ　スタンダール　　Ⓒ　トルストイ
　Ⓓ　ヘミングウェー　　Ⓔ　マーガレット・ミッチェル

6　次の作者の作品を下の語群より選び記入しなさい。
① 清少納言（　）　　② 太宰　治（　）　　③ 島崎藤村（　）
④ 与謝野晶子（　）　　⑤ 夏目漱石（　）　　⑥ 志賀直哉（　）
⑦ 水上　勉（　）　　⑧ 宮尾登美子（　）　　⑨ 木下順二（　）
　［語群］
　　㋑　みだれ髪　　㋺　枕草子　　㋩　夕鶴　　㋥　斜陽
　　㋭　暗夜行路　　㋬　破戒　　㋣　一絃の琴　　㋠　越前竹人形　　㋷　明暗

7　次の作品の冒頭①〜⑤を読んで、それぞれの作者を選び記号で答えなさい。
① 木曽路はすべて山の中である。
② 国境の長いトンネルを抜けると雪国であった。
③ をとこもすなる日記といふものを、をむなもしてみんとてするなり。
④ 親譲りの無鉄砲で小供の時から損ばかりしている。
⑤ ゆく河の流れは絶えずして、しかも、もとの水にあらず。
　ⓐ　石川啄木　　ⓑ　夏目漱石　　ⓒ　紫式部　　ⓓ　宮沢賢治
　ⓔ　島崎藤村　　ⓕ　田山花袋　　ⓖ　紀貫之　　ⓗ　川端康成
　ⓘ　芥川龍之介　　ⓙ　鴨長明

## 解答・解説

5　①−Ⓐ　②−Ⓓ　③−Ⓔ　④−Ⓑ　⑤−Ⓒ
〈解説〉　ドストエフスキーはロシアの小説家で、他に「カラマーゾフの兄弟」などの作品がある。スタンダールはフランスの小説家。ヘミングウェー、マーガレット・ミッチェルはアメリカの小説家。トルストイはロシアの小説家で他に「アンナ・カレーニナ」などの作品がある。

6　①−㋺　②−㋥　③−㋬　④−㋑　⑤−㋷　⑥−㋭　⑦−㋠　⑧−㋣
⑨−㋩　〈解説〉　与謝野晶子は、明治時代の女流歌人。

7　①−ⓔ　②−ⓗ　③−ⓖ　④−ⓑ　⑤−ⓙ　〈解説〉　島崎藤村には他にも、「若菜集」「破戒」などの作品がある。

**8** 次の文の（　）の中に下から適当な語句を選び、その番号を記入しなさい。

⑴ 「小諸なる古城のほとり雲白く遊子悲しむ。緑なすはこべは萌えず若草もしくによしなし」は（　　）の新体詩（　　）の一節で、（　　）時代に入って新しく生まれたものである。

⑵ 随筆として有名なものに（　　）時代の鴨長明の（　　）がある。

⑶ 「智に働けば角が立つ。情に棹させば流される。意地を通せば窮屈だ。兎角に人の世は住みにくい。」というのは（　　）の作品（　　）の一節である。

⑷ 紀貫之は（　　）の編者の一人であり、（　　）の作者で（　　）時代の人である。

⑸ （　　）は紀行文として優れた作品である（　　）などを書き、「さみだれを集めて早し最上川」などの句がある。

⑹ 「春の海ひねもすのたりのたりかな」は（　　）時代の俳人（　　）の名高い句である。

① 平　安　② 鎌　倉　③ 室　町　④ 安土桃山　⑤ 江　戸
⑥ 明　治　⑦ 万葉集　⑧ 古今集　⑨ 新古今集　⑩ 吾妻鏡
⑪ 徒然草　⑫ 更級日記　⑬ 方丈記　⑭ 落梅集　⑮ 草　枕
⑯ こころ　⑰ おくのほそ道　⑱ 土佐日記　⑲ みだれ髪
⑳ 松尾芭蕉　㉑ 正岡子規　㉒ 与謝蕪村　㉓ 石川啄木
㉔ 坪内逍遙　㉕ 清少納言　㉖ 和泉式部　㉗ 夏目漱石
㉘ 森　鷗外　㉙ 島崎藤村　㉚ 川端康成　㉛ 田山花袋

### 解答・解説

**8** ⑴－㉙－⑭－⑥　⑵－②－⑬　⑶－㉗－⑮　⑷－⑧－⑱－①
⑸－⑳－⑰　⑹－⑤－㉒
〈解説〉　島崎藤村の「落梅集」は、明治34（1901）年に刊行の詩文集。小諸時代の恋愛詩と旅情をうたう自然詩から成る。他に「椰子の実」や「千曲川旅情の歌」が有名。「若菜集」「一葉舟」「夏草」に続く第4詩集が「落梅集」。「若菜集」には「惜別の歌」が収められている。松尾芭蕉の「おくのほそ道」は全行程約600里（2,400km）を約150日かけて巡った旅行記。岩手県平泉では「夏草や兵どもが夢のあと」、山形県立石寺で「閑さや岩にしみ入る蟬の聲」、新潟県出雲崎で「荒海や佐渡によこたふ天の河」が詠まれた。

# 詩 歌 の 問 題

**1** 次の和歌の下の句を下から記号で選んで完成し、また、万葉集・古今集・新古今集のいずれのものかを書きなさい。 (松阪短大)

① 世の中にたえて桜のなかりせば （　　　：　　　）
② 田児の浦ゆうち出でて見れば真白にぞ （　　　：　　　）
③ 心なき身にもあはれはしられけり （　　　：　　　）
④ 春過ぎて夏来たるらし白妙の （　　　：　　　）

　　Ⓐ　鴫立つ沢の秋の夕暮れ　　　Ⓑ　衣乾したり天の香具山
　　Ⓒ　春の心はのどけからまし　　Ⓓ　不尽の高峯に雪は降りける

**2** 次の季題の季節を（　）に書きなさい。 (京華短大)

① 麦の秋（　）　② 七夕（　）　③ ばら（　）　④ 風花（　）
⑤ 稲妻（　）　⑥ 早苗（　）　⑦ 若水（　）　⑧ 梅干（　）
⑨ 狩り（　）　⑩ 山焼く（　）　⑪ 別れ霜（　）　⑫ 芭蕉忌（　）
⑬ 風光る（　）　⑭ 独楽（　）　⑮ 相撲（　）

**3** 次の句の（　）に適する語句を入れて完成し、また、後の［　］にその作者名を書きなさい。

① 旅に病んで夢は枯野を（　　　）　　［　　　　　］
② やせ蛙（　　　）これにあり　　［　　　　　］
③ （　　　）月は東に日は西に　　［　　　　　］
④ （　　　）つるべ取られてもらひ水　　［　　　　　］
⑤ 柿くへば（　　　）法隆寺　　［　　　　　］

**4** 次の短歌の「上の句」［Ａ群］に対する「下の句」を［Ｂ群］から、また、その作者を［Ｃ群］から選び記号で答えなさい。

［Ａ群］

① 高槻のこずゑにありて頬白の （　　　：　　　）
② 金色のちひさき鳥の形して （　　　：　　　）
③ 向日葵は金の油を身にあびて （　　　：　　　）
④ 白埴の瓶こそよけれ霧ながら （　　　：　　　）
⑤ この山はたださうさうと音すなり （　　　：　　　）

［B群］　　　　　　　　　　　　　　　　［C群］

Ⓐ　岸辺目に見ゆ泣けとごとくに　　　㋐　北原　白秋

Ⓑ　朝はつめたき水くみにけり　　　　㋑　長塚　　節

Ⓒ　ゆらりと高し日のちひささよ　　　㋒　島木　赤彦

Ⓓ　さへづる春となりにけるかも　　　㋓　与謝野晶子

Ⓔ　松に松の風椎に椎の風　　　　　　㋔　前田　夕暮

Ⓕ　銀杏ちるなり夕日の岡に　　　　　㋕　若山　牧水

**5**　次の左・中・右の各句を適当に線で結び、俳句を完成しなさい。

| ① こがね虫 | Ⓐ 池をめぐりて | ㋐ 鷺一つ |
| ② くたびれて | Ⓑ 川ひとすぢや | ㋑ 雪の原 |
| ③ 名月や | Ⓒ 水を渡るや | ㋒ よもすがら |
| ④ ながながと | Ⓓ なげうつやみの | ㋓ 藤の花 |
| ⑤ 春浅き | Ⓔ 宿かるころや | ㋔ ほしげなり |
| ⑥ ひげそるや | Ⓕ 猿も小蓑を | ㋕ 深さかな |
| ⑦ 山路来て | Ⓖ 行く人なしに | ㋖ かすむ日に |
| ⑧ 初しぐれ | Ⓗ 水なき川を | ㋗ 渡りけり |
| ⑨ この道や | Ⓘ なにやらゆかし | ㋘ 秋の暮 |
| ⑩ 雲の峰 | Ⓙ 上野の鐘の | ㋙ すみれ草 |

▌▌**解答・解説**　　　　　　　　　　　　　　　　　　➡

**1**　①−Ⓒ古今集　②−Ⓓ万葉集　③−Ⓐ新古今集　④−Ⓑ万葉集　〈解説〉　万葉集は飛鳥時代から奈良時代にかけて編纂された最も古い和歌集。古今和歌集は平安時代前期のもので、編者は紀貫之など。新古今和歌集は鎌倉時代初期のもので、編者は藤原定家など。世の中に……の作者は在原業平、田児の浦ゆ……の作者は山部赤人、心なき……の作者は西行法師、春過ぎて……の作者は持統天皇。

**2**　①夏　②秋　③夏　④冬　⑤秋　⑥夏　⑦新年　⑧夏　⑨冬　⑩春　⑪春　⑫冬　⑬春　⑭新年　⑮秋

**3**　①かけめぐる・松尾芭蕉　②まけるな一茶・小林一茶　③菜の花や・与謝蕪村　④朝顔に・加賀千代（女・尼）　⑤鐘が鳴るなり・正岡子規　〈解説〉　松尾芭蕉、小林一茶、与謝蕪村、加賀千代は江戸時代の俳人。正岡子規は明治時代の俳人で、俳句専門誌「ホトトギス」を創刊した。

**4**　①−Ⓓ・㋒　②−Ⓕ・㋓　③−Ⓒ・㋔　④−Ⓑ・㋑　⑤−Ⓔ・㋐　〈解説〉　北原白秋は明治時代の詩人で、作品に「邪宗門」などがある。長塚節、島木赤彦はアララギ派の歌人。与謝野晶子は浪漫派の歌人。前田夕暮、若山牧水は自然主義の歌人。

**5**　①−Ⓓ−㋕　②−Ⓔ−㋓　③−Ⓐ−㋒　④−Ⓑ−㋑　⑤−Ⓒ−㋐　⑥−Ⓙ−㋖　⑦−Ⓘ−㋙　⑧−Ⓕ−㋔　⑨−Ⓖ−㋘　⑩−Ⓗ−㋗

# 文章読解・その他の問題

**1** 次の文を読んで、下の問いに答えなさい。

「甲某の論文は内容はいいが文章が(ア)ヘタで晦渋<sup>かいじゅう</sup>でよくわからない」というような(イ)ヒヒョウを耳にすることがしばしばある。はたしてそういうことが実際にありうるかどうか自分にははなはだ疑わしい。実際多くの場合にすぐれた科学者の論文は(A)としてもまた立派なものであるように見える。文章の明徹なためには頭脳の①明徹なことが必須(ウ)ジョウケンである。頭脳が透明であるのに母国語で書いた文章が晦渋をきわめているという場合は、よほどな特例であろうと思われるのである。

反対に「乙某の論文は（B）は平凡でも（C）がうまいからおもしろい」という場合がある。これ②は自分には疑わしい。平凡陳套<sup>ちんとう</sup>な事実をいかに修辞法の精鋭を尽くして書いてみても、それが少なくもちゃんとした科学者の読者が「おもしろい」というはずがないのである。③そういう種類のものにはやはり必ず何かしら(エ)ドクソウテキな内察があり暗示があり、新しい見地と(オ)ハアクのしかたがあり、要するになんらかの「生産能」を包有しているある物がなければならないのである。

寺田寅彦「科学と文学」より

問1　傍線（ア）〜（オ）のカタカナの部分を漢字に改めなさい。

問2　文中の空所（A）〜（C）にあてはまる言葉として、「文章」、「内容」のどちらかを選んで書きなさい。

問3　傍線①とほぼおなじ意味で使われている漢字2字の言葉を書きなさい。

問4　傍線②「は」を、文脈上、適切な助詞に直しなさい。

問5　傍線③「そういう種類のもの」には、何があるか。文中から20字で抜き出し、はじめの5字を書きなさい。

## ▌解答・解説　➡

**1**　問1　（ア）下手　（イ）批評　（ウ）条件　（エ）独創的　（オ）把握
問2　（A）文章　（B）内容　（C）文章
問3　透明　〈解説〉「頭脳の明徹」を「頭脳が透明である」と言い換えている。
問4　も　〈解説〉冒頭の「甲某の論文は〜」と同じく疑わしい、という文脈。
問5　なんらかの　〈解説〉「なんらかの〜いるある物」までの20字。

**2** 次の文を読んで、下の問いに答えなさい。

　僕らはたとい意識しないにもせよ、いつか前人の跡を追っている。僕らの独創と呼ぶものはわずかに前人の跡を脱したのに過ぎない。しかもほんの一歩位、——いや、①一歩でも出ているとすれば、度たび一時代を（ア）震わせるのである。のみならず故意に反逆すれば、いよいよ前人の跡を脱することは出来ない。僕は義理にも芸術上の反逆に賛成したいと思う一人である。が、事実上反逆者は決して（イ）珍しいものではない。あるいは前人の跡を追ったものよりもはるかに多いことであろう。彼らは成程反逆した。しかし何に反逆するかをはっきりと感じていなかった。大抵彼らの反逆は前人よりも前人の（ウ）追従者に対する反逆である。もし前人を感じていたとすれば、——彼らはそれでも反叛（はんぱん）したかも知れない。けれどもそこには必然に前人の跡を残しているであろう。伝説学者は海彼岸（かいひがん）の伝説の中に多数の日本の伝説のプロトタイプを発見している。芸術もまた穿鑿（せんさく）して見れば、やはり粉本（ふんぽん）に（エ）乏しくない。（僕は前にも言ったように必ずしも作家たちは彼らの粉本を用いていないことを意識していなかったことを信じている。）芸術の進歩も——あるいは変化もいかに大人物を待ったにもせよ、一（A）飛びには面目を改めないのである。

　しかしこの（オ）遅い歩みの中にも多少の変化を試みたものは僕らの尊敬に（B）している。（菱田春草はこの一人だった。）新時代の青年たちは独創の力を信じているであろう。僕はそのいやが上にも信じることを望んでいる。多少の変化は②そこ以外にどこにも生じて来るものではない。

芥川龍之介「文芸的な、余りに文芸的な」より

問１　傍線（ア）～（オ）の漢字の読み方を平仮名で書きなさい。

問２　文中の空所（A）・（B）にあてはまる漢字１字を書きなさい。

問３　傍線①「一歩でも出ている」を次のように書き直すとき、（　）にあてはまる漢字２字の言葉を文中からさがして書きなさい。
　　　『ほんの少しでも（　）性がある』

問４　傍線②が指す内容を書きなさい。

▌▌解答・解説 ▶

**2**　問１　（ア）ふる　（イ）めずら　（ウ）ついじゅうしゃ　（エ）とぼ　（オ）おそ
　　問２　（A）足　（B）価　〈解説〉「一足飛び」とは、「物事を順序をふまずに飛び越えてすること」。「あたい」には、一般的に使う「値」もある。
　　問３　独創　〈解説〉「わずかに前人の跡を脱した」と表現されているものは何か。
　　問４　独創の力を信じること。

**3** 次の文を読んで、下の各問いに答えなさい。

（トヨタ自動車）

　寸陰惜しむ人なし、これよく<u>知れる</u>①か、<u>愚かなる</u>②か、愚かにして<u>怠る</u>人のために言はば、一銭かろしといへども、これを重ぬれば、貧しき人を富める人となす。

　されば商人の、一銭を惜しむ心切なり。利那Ⓐ覚えずといへども、これをはこびてやまざれば、命を終ふる期たちまちにいたる。されば<u>道人</u>Ⓑは遠く月日を惜しむべからず。ただ今の一念、むなしく<u>過ぐる</u>③ことを惜しむべし。

吉田兼好「徒然草」第108段より

問1　〜〜の部分（Ⓐ・Ⓑ）の意味を書きなさい。

　　Ⓐ（　　　　　　　　　　　）　　Ⓑ（　　　　　　　　　　　　）

問2　——の部分（①〜③）について、文法上の用語を下の例のように書きなさい。

　　例　動詞：怠るの連体形

　　①（　　　　　　　　　　　）　　②（　　　　　　　　　　　　）
　　③（　　　　　　　　　　　）

問3　この文は何をいわんとしているか、簡単に書きなさい。

　　（　　　　　　　　　　　　　　　　　　　　　　　　　　　　）

◤**解答・解説**

**3**　問1　Ⓐきわめて短い時間　Ⓑ仏道を修行する人
　問2　①動詞「知る」＋助動詞「り」の連体形　②形容動詞：「愚かなり」の連体形　③動詞：「過ぐ」の連体形
　問3　今のきわめて短い時間をも惜しみ大切にしなければならないこと。（具体的には）道を修める者は一瞬の短い時間をも惜しまねばならぬということ。

**4** 次の詩を読んで下の問いに答えなさい。

郵便局　　　　　　　　　　　　　　　　　　　　　　　　　　萩原朔太郎

　郵便局といふものは、港や停車場やと同じく、人生の遠い旅情を思はすところの、悲しいのすたるぢやの存在である。局員はあわただしげにスタンプを捺し、人々は窓口に群がつてゐる。<u>わけても</u>貧しい女工の群が、日給の貯金通帳を手にしながら窓口に列をつくつて押し合つてゐる。或る人々は為替を組み入れ、或る人々は遠国への、かなしい電報を打たうとしてゐる。

　いつも急がしく、あわただしく、群衆によつてもまれてゐる、不思議な物悲しい郵便局よ。私はそこに来て手紙を書き、そこに来て人生の郷愁を見るのが好きだ。田舎の粗野な老婦が居て、側の人にたのみ、手紙の代筆を懇願してゐる。彼女の貧しい村の郷里で、孤独に暮らしてゐる娘の許へ、秋の袷や襦袢やを、小包で送つたといふ通知である。

　郵便局！　　私はその郷愁を見るのが好きだ。生活のさまざまな悲哀を抱きながら、そこの薄暗い壁の隅で、故郷への手紙を書いてる若い女よ！　鉛筆の心も折れ、文字も涙によごれて乱れてゐる。何をこの人生から、若い娘たちが苦しむだらう。我々もまた君等と同じく、絶望のすり切れた靴をはいて、生活の港々を漂泊してゐる。永遠に、永遠に、我々の家なき魂は凍えてゐるのだ。

　郵便局といふものは、港や停車場と同じやうに、人生の遠い旅情を思はすところの、魂の永遠ののすたるぢやだ。

問1　このような詩を何といいますか。

問2　――線「わけても」の意味を答えなさい。

問3　この詩の主題としてふさわしいものを一つ選びなさい。

　　ア　港や停車場とはちがった生活を感じる郵便局。

　　イ　女工の群れに感じる人生の哀歌。

　　ウ　様々な人々が織りなす生活の苦しさ。

　　エ　郵便局にくる人々から感じる人生の郷愁。

### 解答・解説

**4**　問1　散文詩　　問2　その中でもとくに　　問3　エ

〈解説〉　行分けの詩に対し、散文の形式で書かれた詩を散文詩という。詩的精神、リズムを形式でなく内面的に求めようとしたもので、日本では萩原朔太郎が試みた後、北川冬彦、三好達治、安西冬衛らにより「新散文詩運動」が行われた。

#  要点のまとめ

● 覚えておきたい難読語（音読みの語）

| | | |
|---|---|---|
| 曖昧　あいまい | 葛藤　かっとう | 健気　けなげ |
| 隘路　あいろ | 恰幅　かっぷく | 解熱　げねつ |
| 悪食　あくじき | 伽藍　がらん | 懸念　けねん |
| 斡旋　あっせん | 緩衝　かんしょう | 気配　けはい |
| 安堵　あんど | 完遂　かんすい | 仮病　けびょう |
| 塩梅（按配）あんばい | 旱（干）魃　かんばつ | 嫌悪　けんお |
| 委嘱　いしょく | 甲板　かんぱん | 減殺　げんさい |
| 一瞥　いちべつ | 生糸　きいと | 言質　げんち |
| 遺漏　いろう | 飢饉　ききん | 喧伝　けんでん |
| 因縁　いんねん | 危惧　きぐ | 絢爛　けんらん |
| 隠蔽（陰蔽）いんぺい | 気障　きざ | 眩惑　げんわく |
| 迂回　うかい | 詭弁　きべん | 好悪　こうお |
| 産湯　うぶゆ | 華奢　きゃしゃ | 狡猾　こうかつ |
| 雲泥　うんでい | 杞憂　きゆう | 交誼　こうぎ |
| 会得　えとく | 糾（糺）弾　きゅうだん | 拘泥　こうでい |
| 演繹　えんえき | 驚愕　きょうがく | 更迭　こうてつ |
| 円滑　えんかつ | 胸襟　きょうきん | 勾配　こうばい |
| 横溢　おういつ | 教唆　きょうさ | 沽券　こけん |
| 鷹揚　おうよう | 矜持（恃）きょうじ | 忽然　こつぜん |
| 嗚咽　おえつ | 強靭　きょうじん | 糊塗　こと |
| 悪寒　おかん | 形相　ぎょうそう | 誤謬　ごびゅう |
| 億劫　おっくう | 虚妄　きょもう | 混交（淆）こんこう |
| 開眼　かいげん（かいがん）| 苦衷　くちゅう | 今昔　こんじゃく |
| 邂逅　かいこう | 工面　くめん | 紺青　こんじょう |
| 膾炙　かいしゃ | 敬虔　けいけん | 渾身　こんしん |
| 乖離　かいり | 迎合　げいごう | 献立　こんだて |
| 界隈　かいわい | 軽重　けいちょう | 混（渾）沌　こんとん |
| 陽炎　かげろう | 希（稀）有　けう | 困憊　こんぱい |
| 苛酷（刻）かこく | 怪訝　けげん | 猜疑　さいぎ |
| 呵責　かしゃく | 化身　けしん | 錯誤　さくご |
| 気質　かたぎ | 解毒　げどく | 索漠（莫）さくばく |

| | | |
|---|---|---|
| 些(瑣)細　ささい | 真摯　しんし | 緻密　ちみつ |
| 桟敷　さじき | 斟酌　しんしゃく | 厨房　ちゅうぼう |
| 颯爽　さっそう | 遂行　すいこう | 寵愛　ちょうあい |
| 蹉跌　さてつ | 推敲　すいこう | 鳥瞰　ちょうかん |
| 懺悔　ざんげ(さんげ) | 杜撰　ずさん | 凋落　ちょうらく |
| 暫時　ざんじ | 素性(姓)　すじょう | 直截　ちょくせつ(ちょくさい) |
| 斬新　ざんしん | 逝去　せいきょ | 椿事　ちんじ |
| 参内　さんだい | 凄惨　せいさん | 珍重　ちんちょう |
| 恣意　しい | 脆弱　ぜいじゃく | 沈澱(殿)　ちんでん |
| 思惟　しい | 精緻　せいち | 陳腐　ちんぷ |
| 弛緩　しかん | 寂寥　せきりょう | 追従　ついしょう(ついじゅう) |
| 嗜好　しこう | 折衝　せっしょう | 追悼　ついとう |
| 示唆　しさ | 刹那　せつな | 通夜　つや |
| 市井　しせい | 漸次　ぜんじ | 体裁　ていさい |
| 疾病　しっぺい | 羨望　せんぼう | 泥濘　でいねい |
| 諮問　しもん | 走狗　そうく | 転嫁　てんか |
| 赤銅　しゃくどう | 造詣　ぞうけい | 転(顛)倒　てんとう |
| 借款　しゃっかん | 相好　そうごう | 韜晦　とうかい |
| 惹起　じゃっき | 相克(剋)　そうこく | 慟哭　どうこく |
| 煮沸　しゃふつ | 雑言　ぞうごん | 洞察　どうさつ |
| 終焉　しゅうえん | 操作　そうさ | 獰猛　どうもう |
| 蒐(収)集　しゅうしゅう | 相殺　そうさい(そうさつ) | 陶冶　とうや |
| 執着　しゅうちゃく(しゅうじゃく) | 雑兵　ぞうひょう | 匿名　とくめい |
| 蹂躙　じゅうりん | 挿話　そうわ | 咄嗟　とっさ |
| 修羅　しゅら | 側(仄)聞　そくぶん | 訥弁　とつべん |
| 浚渫　しゅんせつ | 咀嚼　そしゃく | 賭博　とばく |
| 駿馬　しゅんめ(しゅんば) | 阻(沮)喪　そそう | 吐露　とろ |
| 成就　じょうじゅ | 措置　そち | 捺印　なついん |
| 精進　しょうじん | 忖度　そんたく | 柔和　にゅうわ |
| 饒舌　じょうぜつ | 対峙　たいじ | 如実　にょじつ |
| 常套　じょうとう | 堆積　たいせき | 刃傷　にんじょう |
| 嘱(属)託　しょくたく | 兌換　だかん | 捏造　ねつぞう |
| 所作　しょさ | 短冊(尺)　たんざく | 年貢　ねんぐ |
| 熾烈　しれつ | 団欒　だんらん | 捻出　ねんしゅつ |
| 深(真)紅　しんく | 知己　ちき | 脳裏　のうり |

| | | |
|---|---|---|
| 胚胎　はいたい | 風情　ふぜい | 抹殺　まっさつ |
| 剥奪　はくだつ | 敷(布)設　ふせつ | 冥利　みょうり |
| 暴(曝)露　ばくろ | 払拭　ふっしょく | 無垢　むく |
| 破綻　はたん | 蒲(布)団　ふとん | 無碍(礙)　むげ |
| 抜粋(萃)　ばっすい | 不憫(愍)　ふびん | 瞑(冥)想　めいそう |
| 溌剌(溂)　はつらつ | 不埒　ふらち | 目眩(眩暈)　めまい |
| 挽(輓)歌　ばんか | 俘虜　ふりょ | 妄執　もうしゅう |
| 反芻　はんすう | 憤(忿)怒　ふんぬ(ど) | 朦朧　もうろう |
| 頒布　はんぷ | 閉塞　へいそく | 由緒　ゆいしょ |
| 凡例　はんれい | 辟易　へきえき | 誘拐　ゆうかい |
| 僻目　ひがめ | 編纂　へんさん | 夭折　ようせつ |
| 批准　ひじゅん | 辺鄙　へんぴ | 烙印　らくいん |
| 逼迫　ひっぱく | 彷徨　ほうこう | 拉致　らち |
| 誹謗　ひぼう | 芳醇　ほうじゅん | 爛漫　らんまん |
| 罷免　ひめん | 幇助　ほうじょ | 律儀(義)　りちぎ |
| 剽軽　ひょうきん | 呆然　ほうぜん | 掠(略)奪　りゃくだつ |
| 肥沃　ひよく | 抱負　ほうふ | 凌駕　りょうが |
| 披露　ひろう | 泡沫　ほうまつ(うたかた) | 流転　るてん |
| 頻出　ひんしゅつ | 朴(木)訥　ぼくとつ | 流布　るふ |
| 便乗　びんじょう | 発起　ほっき | 憐憫(愍)　れんびん |
| 吹聴　ふいちょう | 発端　ほったん | 緑青　ろくしょう |
| 風靡　ふうび | 補塡　ほてん | 呂律　ろれつ |
| 敷衍(延)　ふえん | 煩悩　ぼんのう | 歪曲　わいきょく |
| 俯瞰　ふかん | 枚挙　まいきょ | 矮小　わいしょう |
| 福音　ふくいん | 邁進　まいしん | 賄賂　わいろ |
| 不肖　ふしょう | 埋没　まいぼつ | 草鞋　わらじ |
| 無(不)精　ぶしょう | 末期　まつご(まっき) | |

●覚えておきたい難読語（訓読みの語・特殊読み）

| | | |
|---|---|---|
| 生憎　あいにく | 団扇　うちわ | 思惑　おもわく |
| 灰汁　あく | 産土　うぶすな | 陽炎　かげろう |
| 欠伸　あくび | 産湯　うぶゆ | 固唾　かたず |
| 胡坐　あぐら | 五月蠅い　うるさい | 合羽　かっぱ |
| 渾(綽)名　あだな | 胡乱　うろん | 硝子　がらす |
| 漁火　いさりび(ぎょか) | 似非(似而非)　えせ | 生糸　きいと |
| 刺青　いれずみ | 白粉　おしろい | 生粋　きっすい |

| | | |
|---|---|---|
| 曲(癖)者　くせもの | 手向け　たむけ | 海苔　のり |
| 怪訝　けげん | 提(挑)灯　ちょうちん | 暖簾　のれん |
| 独楽　こま | 氷柱　つらら | 暢(呑)気　のんき |
| 雑魚　ざこ | 常磐木　ときわぎ | 旅籠　はたご |
| 流石　さすが | 心太(天)　ところてん | 法度　はっと |
| 時化　しけ | 問屋　とんや | 麦酒　ビール |
| 洒落　しゃれ | 等閑　なおざり | 抽斗　ひきだし |
| 不知火　しらぬい | 就中　なかんずく | 只管(一向)　ひたすら |
| 頭巾　ずきん | 長押　なげし | 一入　ひとしお |
| 台詞(科白)　せりふ | 馴染　なじみ | 黒子　ほくろ |
| 雑木　ぞうき | 納屋　なや | 反古(故)　ほご |
| 黄昏　たそがれ | 納戸　なんど | 燐寸　マッチ |
| 三和土　たたき | 熨斗　のし | 莫大小　メリヤス |
| 煙草　たばこ | 長閑　のどか | 結納　ゆいのう |

●古典・宗教関係の難読語

| | | |
|---|---|---|
| 阿闍梨　あじゃ(ざ)り | 渇仰　かつごう | 防人　さきもり |
| 網代　あじろ | 上達部　かんだちめ(べ) | 指貫　さしぬき |
| 校倉　あぜくら | 帰依　きえ | 参内　さんだい |
| 朝臣　あそん(み) | 公家　くげ | 東雲　しののめ |
| 行脚　あんぎゃ | 功徳　くどく | 除目　じもく |
| 十六夜　いざ(さ)よい | 供奉　ぐぶ | 衆生　しゅじょう |
| 衣鉢　いはつ | 供養　くよう | 装束　しょうぞく |
| 郎女　いらつめ | 庫裏(裡)　くり | 従容　しょうよう |
| 因縁　いんねん | 境内　けいだい | 神道　しんとう |
| 永劫　えいごう | 戯作　げさく(ぎさく) | 透垣　すいがい(すきがき) |
| 回向　えこう | 解脱　げだつ | 受領　ずりょう |
| 干支　えと | 外道　げどう | 遷化　せんげ |
| 烏帽子　えぼし | 虚空　こくう | 宣命　せんみょう |
| 厭世　えんせい | 東風　こち | 相聞　そうもん |
| 往生　おうじょう | 虚無僧　こむそう | 松明　たいまつ |
| 和尚　お(か)しょう | 御利益　ごりやく | 内裏　だいり |
| 怨霊　おんりょう | 勤行　ごんぎょう | 追儺　ついな |
| 神楽　かぐら | 権化　ごんげ | 殿上人　てんじょうびと |
| 帷子　かたびら | 建立　こんりゅう | 舎人　とねり |

| | | | | | |
|---|---|---|---|---|---|
| 涅槃 | ねはん | 布施 | ふせ | 御息所 | みやす（ん）どころ |
| 直衣 | のうし（なおし） | 菩提 | ぼだい | 命婦 | みょうぶ |
| 野分 | のわき | 神酒 | みき | 有職 | ゆうそく |
| 直垂 | ひたたれ | 巫女 | みこ | 律令 | りつりょう |
| 奉行 | ぶぎょう | 御簾 | みす | 輪廻 | りんね |

●書き誤りやすい主な漢字

| 哀 | （アイ） | かなしい | 悲哀 |
|---|---|---|---|
| 衰 | （スイ） | おとろえる | 衰弱 |
| 遺 | （イ） | わすれる・のこす | 遺失物・遺跡 |
| 遣 | （ケン） | つかわす | 派遣 |
| 因 | （イン） | もと・よる | 原因 |
| 困 | （コン） | こまる | 困難 |
| 隠 | （イン） | かくれる | 隠者 |
| 穏 | （オン） | おだやか | 穏健 |
| 延 | （エン） | のびる | 延長 |
| 廷 | （テイ） | 政事を行う場所 | 宮廷 |
| 憶 | （オク） | おもう | 追憶 |
| 臆 | （オク） | おじける | 臆病 |
| 億 | （オク） | 万の万倍 | 億万 |
| 貨 | （カ） | おかね | 貨幣 |
| 貸 | （タイ） | かす | 貸与 |
| 悔 | （カイ） | くいる | 後悔 |
| 侮 | （ブ） | あなどる | 侮辱 |
| 壊 | （カイ） | こわす | 破壊 |
| 懐 | （カイ） | なつかしむ | 懐旧 |
| 壌 | （ジョウ） | つち | 土壌 |
| 獲 | （カク） | つかまえる | 漁獲 |
| 穫 | （カク） | とりいれる | 収穫 |
| 還 | （カン） | かえる | 還元 |
| 環 | （カン） | まわり | 環境 |
| 換 | （カン） | とりかえる | 交換 |
| 喚 | （カン） | さけぶ | 喚声 |
| 勘 | （カン） | かんがえる | 勘定 |
| 堪 | （カン） | たえる | 堪忍 |

| 幹 | （カン） | みき | 新幹線 |
|---|---|---|---|
| 斡 | （アツ） | めぐる | 斡旋 |
| 勧 | （カン） | すすめる | 勧誘 |
| 歓 | （カン） | よろこぶ | 歓迎 |
| 宜 | （ギ） | よろしい | 便宜 |
| 宣 | （セン） | のべる | 宣誓 |
| 疑 | （ギ） | うたがう | 疑惑 |
| 凝 | （ギョウ） | 心をこらす | 凝視 |
| 距 | （キョ） | へだたり | 距離 |
| 拒 | （キョ） | こばむ | 拒否 |
| 仰 | （ギョウ） | あおぐ | 仰天 |
| 抑 | （ヨク） | おさえる | 抑圧 |
| 偶 | （グウ） | たまたま | 偶然 |
| 隅 | （グウ） | すみ | 一隅 |
| 遇 | （グウ） | であう | 遭遇 |
| 倹 | （ケン） | しっそ | 倹約 |
| 険 | （ケン） | あぶない | 危険 |
| 検 | （ケン） | しらべる | 検査 |
| 抗 | （コウ） | 立ち向かう | 抵抗 |
| 坑 | （コウ） | あな | 坑道 |
| 効 | （コウ） | ききめ | 効果 |
| 郊 | （コウ） | 町はずれ | 郊外 |
| 構 | （コウ） | くみたてる | 構成 |
| 講 | （コウ） | 説く | 講演 |
| 購 | （コウ） | 買う | 購入 |
| 裁 | （サイ） | さばく | 裁判 |
| 栽 | （サイ） | うえる | 栽培 |
| 載 | （サイ） | のせる | 掲載 |
| 戴 | （タイ） | いただく | 戴冠 |
| 在 | （ザイ） | ある | 不在 |
| 存 | （ソン） | ある・考え | 存在・異存 |

| | | | | | | |
|---|---|---|---|---|---|---|
| 仕 | (シ) | つかえる | 仕官 | 祖 | (ソ) | せんぞ | 祖先 |
| 任 | (ニン) | まかせる | 一任 | 粗 | (ソ) | あらい | 粗雑 |
| 思 | (シ) | おもう | 思考 | 租 | (ソ) | ぜいきん | 租税 |
| 恩 | (オン) | めぐみ | 恩恵 | 卒 | (ソツ) | とつぜん・おえる |
| 施 | (シ) | おこなう | 実施 | | | 卒倒・卒業 |
| 旋 | (セン) | めぐる | 旋回 | 率 | (ソツ・リツ) | ひきいる・わり |
| 治 | (ジ・チ) | おさめる | 治安 | | | あい | 引率・比率 |
| 冶 | (ヤ) | ねりあげる | 陶冶 | 奪 | (ダツ) | うばう | 争奪 |
| 侍 | (ジ) | はべる | 侍従 | 奮 | (フン) | ふるう | 奮起 |
| 待 | (タイ) | まつ | 期待 | 張 | (チョウ) | ひろげる | 拡張 |
| 住 | (ジュウ) | すむ | 住宅 | 帳 | (チョウ) | ちょうめん・とばり |
| 往 | (オウ) | ゆく | 往復 | | | 帳簿・開帳 |
| 徐 | (ジョ) | ゆるやか | 徐行 | 追 | (ツイ) | おう | 追跡 |
| 除 | (ジョ・ジ) | のぞく | 掃除 | 迫 | (ハク) | せまる | 迫力 |
| 招 | (ショウ) | まねく | 招待 | 低 | (テイ) | ひくい | 低空 |
| 紹 | (ショウ) | ひきあわせ | 紹介 | 抵 | (テイ) | さからう | 抵抗 |
| | | る | | 提 | (テイ) | さし出す・助け合う |
| 衝 | (ショウ) | ぶつかる | 衝突 | | | 提案・提携 |
| 衡 | (コウ) | つりあい | 均衡 | 堤 | (テイ) | つつみ | 堤防 |
| 浸 | (シン) | ひたる | 浸水 | 適 | (テキ) | 心にかなう・あては |
| 侵 | (シン) | おかす | 侵害 | | | まる | 快適・適応 |
| 粋 | (スイ) | まじりけなし | 純粋 | 摘 | (テキ) | つまむ・あばく |
| 砕 | (サイ) | くだく | 粉砕 | | | 摘出・摘発 |
| 推 | (スイ) | おす | 推測 | 徹 | (テツ) | とおる・とおす |
| 堆 | (タイ) | うずたかい | 堆積 | | | 透徹・徹夜 |
| 遂 | (スイ) | やりとげる | 遂行 | 撤 | (テツ) | とりさる | 撤去 |
| 逐 | (チク) | おいはらう | 駆逐 | 努 | (ド) | つとめる | 努力 |
| 積 | (セキ) | つむ | 積載 | 怒 | (ド) | いかる | 喜怒 |
| 績 | (セキ) | つむぐ・てがら | | 悩 | (ノウ) | なやみ | 苦悩 |
| | | | 紡績・成績 | 脳 | (ノウ) | のうみそ・かしら |
| 折 | (セツ) | おる | 屈折 | | | 頭脳・首脳 |
| 析 | (セキ) | さく・わける | | 薄 | (ハク) | うすい | 薄弱 |
| | | | 分析・解析 | 簿 | (ボ) | ちょうめん | 名簿 |
| 漸 | (ゼン) | しだいに | 漸次 | | | | |
| 暫 | (ザン) | しばらく | 暫定 | | | | |

| | | | |
|---|---|---|---|
| 微（ビ） | こまかい・わずか | | 滅（メツ） ほろびる 滅亡 |
| | 微細・微熱 | | 減（ゲン） へる 増減 |
| 微（チョウ） | しるし・とりたてる | | 模（モ・ボ） 似せる・てほん |
| | 特徴・徴収 | | 模倣・模範 |
| 貧（ヒン） | まずしい 貧弱 | | 摸（モ） さぐる 摸索 |
| 貪（ドン） | むさぼる 貪欲 | | 予（ヨ） あらかじめ 予定 |
| 復（フク） | かえる・ふたたび | | 矛（ボウ・ム） ほこ 矛盾 |
| | 往復・復活 | | 緑（リョク） みどり 緑化 |
| 複（フク） | かさなる 重複 | | 縁（エン） えにし・めぐりあわ |
| 福（フク） | しあわせ 幸福 | | せ 良縁・因縁 |
| 副（フク） | そえる 副食 | | 歴（レキ） 経てきたあと・はっ |
| 幅（フク） | はば 振幅 | | きり 履歴・歴然 |
| 粉（フン） | こな 花粉 | | 暦（レキ） こよみ 還暦 |
| 紛（フン） | みだれる 紛争 | | 練（レン） ねる・きたえる |
| 防（ボウ） | ふせぐ 防止 | | 洗練・訓練 |
| 妨（ボウ） | さまたげる 妨害 | | 錬（レン） きたえる 錬磨 |
| 漫（マン） | しまりがない 散漫 | | |
| 慢（マン） | おこたる 怠慢 | | |

### ●覚えておきたい四字熟語

| | |
|---|---|
| 暗中模索 | 暗闇の中で手さぐりするように、あてどなく探すこと。 |
| 意気消沈 | がっかりして、元気がなくなること。 |
| 意気衝天 | 天をつくほど、意気込みが盛んなこと。 |
| 異口同音 | 多くの人が同じことを言うこと。意見が一致すること。 |
| 以心伝心 | 言葉に出さなくても、自分の考えや気持ちが相手に通じること。 |
| 一期一会 | 一生に一回しか会う機会がないような、不思議な縁。 |
| 一念発起 | ある事を成しとげようと、決心すること。 |
| 一網打尽 | 一度に悪人や罪人を全部捕らえること。 |
| 一目瞭然 | ひと目見ただけで、はっきりわかること。 |
| 一蓮托生 | たとえ結果が悪かろうと、行動や運命を共にすること。 |
| 一攫（獲）千金 | ちょっとした仕事で、一時に大きな利益を得ること。 |
| 一喜一憂 | 喜んだり心配したりすること。 |
| 一挙一動 | こまかい、ひとつひとつの行動や動作。 |
| 一挙両得 | ひとつのことで、同時に二つの利益を得ること。 |
| 一触即発 | 少し触れれば爆発しそうな状態、危機に直面していること。 |

| | |
|---|---|
| 一知半解<br>(いっちはんかい) | 生かじりで、ろくに知らないこと。 |
| 一朝一夕<br>(いっちょういっせき) | 短い期間。わずかの日時。 |
| 意味深長<br>(いみしんちょう) | ふかい意味をふくんでいるようす。 |
| 因果応報<br>(いんがおうほう) | 何かをすれば、必ずむくいがあること。 |
| 有為転変<br>(ういてんぺん) | 世の中の移り変わりが激しく、はかないこと。 |
| 右顧左眄<br>(うこさべん) | 周囲の思わくを気にして決断できないさま。 |
| 紆余曲折<br>(うよきょくせつ) | 曲がりくねっていること。また事情がこみいって複雑なこと。 |
| 栄枯盛衰<br>(えいこせいすい) | 栄えたり衰えたりすること。 |
| 会者定離<br>(えしゃじょうり) | 会ったものは、必ずいつかは別れること。 |
| 温厚篤実<br>(おんこうとくじつ) | 人柄がおだやかで、誠意があり、情に厚いこと。 |
| 温故知新<br>(おんこちしん) | 古いことを研究し、新しい知識を得ること。 |
| 快刀乱麻<br>(かいとうらんま) | もつれた物事を明快に処理するたとえ。 |
| 臥薪嘗胆<br>(がしんしょうたん) | 目的をとげるために、ひどい苦労をかさねること。 |
| 合従連衡<br>(がっしょうれんこう) | 利害に応じて協力したり離れたりする外交上の政策。 |
| 我田引水<br>(がでんいんすい) | 自分の都合のいいように計らうこと。 |
| 画竜点睛<br>(がりょうてんせい) | 最後に大事な一点を加え、物事を完成させること。最後の仕上げ。 |
| 勧善懲悪<br>(かんぜんちょうあく) | よい行いを励まし、悪い行いをこらしめること。 |
| 艱難辛苦<br>(かんなんしんく) | つらく苦しいこと。 |
| 危機一髪<br>(ききいっぱつ) | 危険が目前に迫っていること。危ないせとぎわ。 |
| 起死回生<br>(きしかいせい) | 絶望的な状態のものを立ち直らせること。 |
| 疑心暗鬼<br>(ぎしんあんき) | 疑う心があると、なんでもないことまで恐ろしくなること。 |
| 興味津津<br>(きょうみしんしん) | 非常に興味があるようす。 |
| 玉石混交(淆)<br>(ぎょくせきこんこう) | すぐれたものと劣ったものとが入りまじっていること。 |
| 軽挙妄動<br>(けいきょもうどう) | 軽はずみで考えのない行動。 |
| 権謀術数<br>(けんぼうじゅっすう) | 人をおとしいれるはかりごと。 |
| 厚顔無恥<br>(こうがんむち) | あつかましく、はじを知らないようす。 |
| 巧言令色<br>(こうげんれいしょく) | 相手に気に入られようと言葉をうまく飾り、顔つきをやわらげること。 |
| 荒唐無稽<br>(こうとうむけい) | 言うことがでたらめで、根拠のないこと。 |
| 呉越同舟<br>(ごえつどうしゅう) | 呉と越の国のように、仲の悪い者同士が同じ所にいること。 |
| 虎視眈眈<br>(こしたんたん) | 油断なくつけいる機会をうかがっているさま。 |
| 故事来歴<br>(こじらいれき) | 昔から伝えられてきた事柄のいわれや、その歴史。 |
| 五里霧中<br>(ごりむちゅう) | 深い霧の中で方角がわからないこと。判断に迷うたとえ。 |

| | |
|---|---|
| 言語道断<br>（ごんごどうだん） | 言葉では表せないほど、ひどいこと。 |
| 自画自賛<br>（じがじさん） | 自分でかいた絵を自分でほめること。自分で自分をほめること。 |
| 自業自得<br>（じごうじとく） | 自分のした悪事のために、悪い報いを受けること。（善い場合で使われることもある） |
| 自縄自縛<br>（じじょうじばく） | 自分の言動に束縛され苦しむこと。 |
| 七転八倒<br>（しちてんばっとう） | 転げまわって苦しみ、もだえるようす。 |
| 自暴自棄<br>（じぼうじき） | やけくそになること。 |
| 揣摩臆測<br>（しまおくそく） | 根拠もなく事情を推し量ること。 |
| 縦横無尽<br>（じゅうおうむじん） | 自由自在に思うままに行うさま。 |
| 周章狼狽<br>（しゅうしょうろうばい） | うろたえること。 |
| 取捨選択<br>（しゅしゃせんたく） | 必要なものと不要なものとを選び分けること。 |
| 首尾一貫<br>（しゅびいっかん） | 始めから終わりまで、ひとつの考えでつらぬき通すこと。 |
| 枝葉末節<br>（しようまっせつ） | 主要でない小さな、つまらないこと。 |
| 諸行無常<br>（しょぎょうむじょう） | あらゆるものは常に移り変わること。 |
| 支離滅裂<br>（しりめつれつ） | めちゃめちゃで、筋道の立たないこと。 |
| 針小棒大<br>（しんしょうぼうだい） | 針のように小さいことを、棒のように大きく言うこと。 |
| 人跡未踏<br>（じんせきみとう） | これまで人間が足を踏み入れていないこと。 |
| 晴耕雨読<br>（せいこううどく） | 晴れた日は田畑を耕し、雨の日は家にこもって書を読んで、悠々自適の生活をすること。 |
| 青天白日<br>（せいてんはくじつ） | 後ろ暗いところがないこと。疑いがはれて無罪になること。 |
| 清廉潔白<br>（せいれんけっぱく） | 心が清く無欲で、いさぎよいこと。 |
| 責任転嫁<br>（せきにんてんか） | 責任を他になすりつけること。 |
| 切磋琢磨<br>（せっさたくま） | 学問・人格を磨くこと。また、励ましあって向上すること。 |
| 絶体絶命<br>（ぜったいぜつめい） | どうしても逃げられない追いつめられた状態。 |
| 千載一遇<br>（せんざいいちぐう） | めったにない、よい機会。 |
| 千差万別<br>（せんさばんべつ） | いろいろと違っていること。（せんさまんべつ） |
| 前代未聞<br>（ぜんだいみもん） | 今までに聞いたことがないこと。 |
| 創意工夫<br>（そういくふう） | 新しい方法を、いろいろと思いめぐらして考え出すこと。 |
| 大器晩成<br>（たいきばんせい） | 大人物は若いころはあまり目立たず、人より遅れて立派になるということ。 |
| 大言壮語<br>（たいげんそうご） | 大きなことを言うこと。 |
| 大胆不敵<br>（だいたんふてき） | 度胸があって、ものおじしないこと。 |
| 大同小異<br>（だいどうしょうい） | 少しのちがいはあるが、だいたいは同じであること。 |

| | |
|---|---|
| 単刀直入 | 前置きなしに、いきなり本題に入ること。 |
| 朝令暮改 | 朝出した命令が夕方には改められる意味から、法律や命令が次々に変わってあてにならないこと。 |
| 適材適所 | その人の才能や能力にぴったりの仕事や職場につけること。 |
| 天衣無縫 | 人柄が天真爛漫で飾りけのないこと。 |
| 電光石火 | ①非常に短い時間。②非常にすばやいこと。 |
| 天真爛漫 | 性質や言動が飾りけのないこと。無邪気なこと。 |
| 同工異曲 | 手ぎわは同じだが趣が異なること。また、見かけは異なるが中味はたいした違いがないこと。似たり寄ったり。 |
| 東奔西走 | あちらこちらを走りまわること。 |
| 馬耳東風 | 人の意見、批判などを聞き流すこと。 |
| 不倶戴天 | うらみや憎しみが深く、いっしょには生存できない間柄であること。 |
| 不即不離 | つきも離れもしないこと。 |
| 不撓不屈 | 心が固くて、困難に屈しないこと。 |
| 付和雷同 | 一定の見識がなく、軽々しく他人の説に賛成すること。 |
| 粉骨砕身 | 力のかぎり努力し、骨折って働くたとえ。 |
| 焚書坑儒 | 言論、学問、思想を弾圧すること。 |
| 片言隻語 | ほんのわずかな言葉。 |
| 傍若無人 | 他人の気持ちなどかまわず、かって気ままにふるまうこと。 |
| 本末転倒 | 大事なこと、つまらないことが反対になること。 |
| 無我夢中 | ある一つの物事に心を奪われ、われを忘れること。 |
| 無味乾燥 | 味気なく、おもしろさもないこと。 |
| 優柔不断 | ぐずぐずして、決断のにぶいこと。 |
| 有名無実 | 評判だけで実質がともなわないこと。 |
| 悠悠自適 | 俗事を離れ、のんびり生活すること。 |
| 羊頭狗肉 | 見かけだけがりっぱで、内容がそれにともなわないこと。 |
| 竜頭蛇尾 | 初めは勢いが盛んで、終わりはふるわないこと。 |
| 粒粒辛苦 | こつこつと地道に努力すること。 |
| 臨機応変 | その場その場で、すぐにそれに合ったやり方をすること。 |
| 和洋折衷 | 日本風と西洋風とを、うまく取り合わせること。 |

●覚えておきたい故事成語───────────

青は藍より出でて藍より青し…弟子が師よりもすぐれることのたとえ。

羹に懲りて膾を吹く…失敗にこりて、必要以上に警戒心を強くすること。

石に漱ぎ流れに枕す…負け惜しみの強いこと。ひどいこじつけ。

一将功成って万骨枯る…一人の将軍の戦功の裏には、多くの兵卒の犠牲が
　　　　　　　　　　　　あること。

井の中の蛙…………………見聞・見識のせまいことのたとえ。

燕雀いずくんぞ鴻鵠の志を知らんや…つまらぬ人物には、大人物の偉大な
　　　　　　　　　　　　　　　　　　心はわからないというたとえ。

鼎の軽重を問う………権威・権力のある者の実力を軽んじ疑うこと。

肝胆相照らす…………互いに心を打ちあけて親しく交わること。

管鮑の交わり…………深く理解し合った親密な交わり。仲むつまじい交際。

木に縁りて魚を求む…見当ちがいの困難な望みをもつこと。また方法を間
　　　　　　　　　　　違うと、何かを得ようとしても得られないこと。

杞憂…………………………不必要な心配。とりこし苦労。

牛耳を執る……………仲間の上に立ち、思うままに支配すること。

九仞の功を一簣に虧く…長い間の努力が、ほんのちょっとの不注意からだ
　　　　　　　　　　　めになること。

窮鼠猫をかむ…………弱い者でも追いつめられると、強者に反撃すること
　　　　　　　　　　　もあるというたとえ。

漁夫の利………………両者が争っているうちに、第三者が利益を横取りす
　　　　　　　　　　　るたとえ。

愚公山を移す…………たえず努力すれば、どんな難事業も成就するという
　　　　　　　　　　　ことのたとえ。

鶏口となるも牛後となるなかれ…強大なものの後に従うより、たとえ小さ
　　　　　　　　　　　　　　　　くとも、そのかしらになるほうがよい。

蛍雪の功………………苦労して学んだ成果。

虎穴に入らずんば虎子を得ず…危険をおかさずに、大きな目的を達成する
　　　　　　　　　　　　　　ことはできないというたとえ。

五十歩百歩……………本質的には差がないこと。

塞翁が馬………………人生の幸・不幸は予測しがたいこと。

先んずれば即ち人を制す…先手をとれば人を支配することができる。早い
　　　　　　　　　　　もの勝ち。

鹿を逐う者は山を見ず…利益を追うことに熱中すると、他のことを考える
　　　　　　　　　　　　余裕のないことのたとえ。

愁眉を開く……………安心した顔つきになること。

人事をつくして天命を待つ…できるかぎりの努力をして、結果は運命にま
　　　　　　　　　　　　かせること。

水魚の交わり…………きわめて親密なつきあい。

前門の虎後門の狼……やっとわざわいをのがれたかと思うと、またわざわ
　　　　　　　　　　　　いにあうこと。一難去ってまた一難と同じ。

千慮の一失……………賢者でも時には失敗のあること。

他山の石………………どんなものでも、自分の品性・知徳をみがくのに役
　　　　　　　　　　　　立つこと。

蟷螂の斧………………弱い者が、自分の力を考えず強い者に立ちむかうこ
　　　　　　　　　　　　とのたとえ。

日暮れて道(途)遠し…年をとったのに、目的がなかなか達せられないこと
　　　　　　　　　　　　のたとえ。

覆水盆に返らず………いったんやってしまったことは、取り返しがつかな
　　　　　　　　　　　　いことのたとえ。

舟に刻みて剣を求む…時勢の変化に気づかず、いたずらに古いしきたりを
　　　　　　　　　　　　守っている愚かさのたとえ。

刎頸の交わり…………生死を共にするほどの親しい交わり。

待てば海路の日和あり…我慢して待っていればよい時節が来ること。

水清ければ魚すまず…あまり清廉潔白すぎると、かえって人に親しまれな
　　　　　　　　　　　　いこと。

病膏肓に入る…………①病気が重くなって、治る見込みがなくなること。
　　　　　　　　　　　　②ある物事に熱中して手がつけられなくなること。

●覚えておきたい同音異義語────────

| | | | |
|---|---|---|---|
| 会議でイギを唱える。 | 異議 | （ちがった意見） |
| イギのある生活。 | 意義 | （物事がもつ価値や重要性） |
| イギを正して並ぶ。 | 威儀 | （礼法にかなった、重々しいふるまい） |
| 優勝してカンキする。 | 歓喜 | （非常によろこぶ） |
| 注意をカンキする。 | 喚起 | （呼び起こすこと） |
| 部屋のカンキをする。 | 換気 | （空気を入れ換えること） |
| 勇気にカンシンする。 | 感心 | （深く感じて心を動かされること） |
| 人のカンシンを買う。 | 歓心 | （よろこぶ心） |
| カンシンに堪えない。 | 寒心 | （ぞっとすること） |
| コウセイ年金。 | 厚生 | （人々の暮らしを豊かにする） |
| コウセイに名を残す。 | 後世 | （後の時代） |
| コウセイを誓う。 | 更生 | （元のよい状態に戻ること） |
| 印刷物のコウセイ。 | 校正 | （文字などの誤りを正すこと） |
| コウセイな処置。 | 公正 | （公平で正しいこと） |
| 家族のコウセイ。 | 構成 | （組み立て） |
| 小説家にシジする。 | 師事 | （先生として、その教えを受けること） |
| 世論のシジを得る。 | 支持 | （賛成し、後援する） |
| 上司のシジを仰ぐ。 | 指示 | （指し示すこと） |
| 事態のシュウシュウ。 | 収拾 | （混乱状態をまとめおさめること） |
| 切手のシュウシュウ。 | 収集 | （たくさんのものをよせ集めること） |
| 調査のタイショウ。 | 対象 | （目標、目的となるもの） |
| 左右タイショウ。 | 対称 | （対応してつり合うこと） |
| タイショウ的な性格。 | 対照 | （比べ合わせること） |
| 責任をツイキュウする。 | 追及 | （くいさがって、問いつめること） |
| 利益をツイキュウする。 | 追求 | （目的のものをどこまでも追い求める） |
| 真理をツイキュウする。 | 追究 | （学問的に調べ、きわめること） |
| 品質をホショウする。 | 保証 | （確かであることをうけ合うこと） |
| 安全ホショウ条約。 | 保障 | （立場や権利を守ること） |
| 損害をホショウする。 | 補償 | （損害をおぎないつぐなうこと） |

●平安・鎌倉文学

**和歌** — 万葉集、古今集、後撰集、拾遺集、後拾遺集、金葉集、詞花集、千載集、新古今集

**物語** — 竹取物語、宇津保物語、落窪物語、源氏物語、堤中納言物語

**歌物語** — 伊勢物語、大和物語、平中物語

**説話** — 今昔物語集

**歴史物語** — 栄花物語、大鏡

**日記** — 土佐日記、蜻蛉日記、更級日記

**随筆文学** — 枕草子、方丈記、徒然草

●江戸文学

**上田秋成** — 雨月物語

**滝沢馬琴** — 南総里見八犬伝

**十返舎一九** — 東海道中膝栗毛

**近松門左衛門** — 曽根崎心中

**井原西鶴** — 好色一代男

**松尾芭蕉** — おくのほそ道

●近代文学

**坪内逍遥** — 小説神髄、当世書生気質

**二葉亭四迷** — 浮雲

**与謝野晶子** — みだれ髪

**尾崎紅葉** — 金色夜叉

**幸田露伴** — 五重塔

**北村透谷** — 内部生命論

**樋口一葉** — たけくらべ

**泉鏡花** — 高野聖、婦系図

**島崎藤村** — 破戒、夜明け前、若菜集

**田山花袋** — 蒲団、田舎教師

**夏目漱石** — 吾輩は猫である、三四郎、それから、門、草枕、こころ、行人、坊っちゃん

**森鷗外** — 舞姫、うたかたの記、雁、阿部一族、山椒大夫、高瀬舟

**石川啄木** — 一握の砂、悲しき玩具、時代閉塞の現状

●大正・昭和の文学

**武者小路実篤** — お目出たき人、友情、愛と死

**志賀直哉** — 暗夜行路、城の崎にて、和解、小僧の神様

**有島武郎** — 生れ出づる悩み、小さき者へ、或る女

**芥川龍之介** — 鼻、歯車、羅生門、河童、或阿呆の一生

**菊池寛** — 父帰る、恩讐の彼方に

**山本有三** — 路傍の石、真実一路

**川端康成** — 雪国、伊豆の踊子（1968年ノーベル文学賞）

**横光利一** — 上海、機械、旅愁

**堀辰雄** — 風立ちぬ、菜穂子

**梶井基次郎** — 檸檬

**谷崎潤一郎** — 痴人の愛、刺青

●戦後の文学

**太宰治** — 斜陽、人間失格

**坂口安吾** — 白痴、堕落論

**埴谷雄高** — 死霊

**大岡昇平** — 野火、俘虜記

**武田泰淳** — ひかりごけ、富士

**遠藤周作** — 沈黙

二島由紀夫 　　金閣寺、仮面の告白、
　豊饒の海
大江健三郎 ― 死者の奢り、飼育
　（1994年ノーベル文学賞）
安部公房 ― 砂の女、壁
村上春樹 ― ノルウェイの森、海辺
　のカフカ、1Q84
●世界の文学
フランス
モンテーニュ ― エセー（随想録）
パスカル ― パンセ
モリエール ― 人間嫌い
ルソー ― エミール
スタンダール ― 赤と黒
バルザック ― ゴリオ爺さん、谷間
　の百合
ボードレール ― 悪の華
モーパッサン ― 女の一生、脂肪の
　塊
ユゴー ― レ・ミゼラブル
ロマン・ロラン ― ジャン・クリス
　トフ
アンドレ・ジイド ― 狭き門
プルースト ― 失われた時を求めて
サンテグジュペリ ― 夜間飛行、星
　の王子さま
サルトル ― 嘔吐
ボーボワール ― 第二の性
カミュ ― 異邦人
ジャン・コクトー ― 恐るべき子供
　たち
イギリス
シェークスピア ― ハムレット、リ
　ア王、ベニスの商人

デフォ 　　　ロビンソン・クルー
　ソー
スウィフト ― ガリバー旅行記
エミリー・ブロンテ ― 嵐が丘
モーム ― 人間の絆、月と六ペンス
D・H・ロレンス ― チャタレイ夫人
　の恋人
ロシア
ゴーゴリ ― 検察官、死せる魂
チェーホフ ― 桜の園
ツルゲーネフ ― 猟人日記、あいび
　き
ゴーリキー ― どん底、母
トルストイ ― 戦争と平和、アンナ・
　カレーニナ、復活
ドストエフスキー ― 罪と罰、カラ
　マーゾフの兄弟
ソルジェニーツィン ― 収容所群島
プーシキン ― エヴゲニー・オネー
　ギン
アメリカ
ヘミングウェー ― 老人と海
マーク・トウェイン ― トム・ソー
　ヤーの冒険
ドイツ
ゲーテ ― 若きヴェルテルの悩み、
　ファウスト
シラー ― ヴァレンシュタイン、群
　盗
ハイネ ― 歌の本
グリム兄弟 ― （童話の編集）
ノルウェー
イプセン ― 人形の家

# 社会の常識問題

## 傾向と対策

　社会科はその学習範囲が広く、どの分野が重要だとひと言では言えません。政治、経済、歴史、地理、文化、思想と大別されますが、やはり出題傾向は日本史と現代政治、経済が多いようです。日本国内はもとより、世界の情勢は刻々と動いています。企業が求めている人材は、限られた知識だけしかない人より、グローバルな目で社会・世界を見る人です。新聞は毎日欠かさず読み、中学・高校時代のおさらいも忘れずに。

# 日本史の問題

**1** 次にあげる人物と関係の深い事物を㋐〜㋡から選び、記号で答えなさい。

① 蘇我入鹿（　　）　② 坂上田村麻呂（　　）　③ 藤原頼通（　　）

④ 加藤清正（　　）　⑤ 福沢諭吉（　　）　⑥ 板垣退助（　　）

⑦ 新井白石（　　）　⑧ 吉田松陰（　　）　⑨ 犬養　毅（　　）

⑩ 吉田　茂（　　）

㋐ 日米安全保障条約　㋑ 安政の大獄　㋒ ノーベル平和賞

㋓ 征夷大将軍　㋔ 慶應義塾　㋕ 蛮社の獄　㋖ 平等院鳳凰堂

㋗ 大宝律令　㋘ 立憲改進党　㋙ 乙巳の変　㋚ 文禄・慶長の役

㋛ 十七条憲法　㋜ 自由党　㋝ 寛政の改革　㋞ 五・一五事件

㋟ 二・二六事件　㋠ 正徳の政治　㋡ 早稲田大学

**2** 次の文の空欄にあてはまる語句を書きなさい。

(1) 723年の㋐（　　）、743年の㋑（　　）の制定により有力貴族や寺院の私有地が増加し、律令制の根幹にある公地・公民制が崩れ始めた。

(2) 室町幕府のしくみは基本的には鎌倉幕府のそれにならっており、将軍を補佐する役職として鎌倉幕府の㋒（　　）に対して室町幕府には㋓（　　）が置かれた。

(3) 織田信長は戦国大名の中から頭角を現し、今川義元を㋔（　　）の戦いで破り、長篠の戦いでは鉄砲隊を使った集団戦法により、当時最強といわれた㋕（　　）を破り、全国統一事業を遂行していった。

(4) 老中松平定信は将軍㋖（　　）の補佐役としてさまざまな改革を行った。質素・倹約を掲げ、㋗（　　）により思想的な統制も行った。

(5) 明治政府は㋘（　　）を発布し、新政府の方針を示した。また、㋙（　　）により、土地と人民を朝廷に返還させた。

(6) 明治政府は1880年代から欧米諸国との間で結ばれていた不平等条約の改正の交渉を行い、まず1894年に外務大臣の㋚（　　）が治外法権の撤廃に成功、次いで㋛（　　）が関税自主権の回復に成功し、ようやく欧米列国と対等の立場に立つことになった。

(7) 第一次世界大戦は、ドイツ・オーストリア・イタリアの三国同盟とイギリス・フランス・ロシアの㋜（　　）の対立から始まり、「ヨーロッ

パの火薬庫」と呼ばれていたバルカン半島で起きた㋓（　　）事件を契機に開戦した。

(8)　世界恐慌後の不景気が深刻化する中で、軍部は大陸進出を主張し、軍国主義の強化を図っていった。㋘（　　）事件では海軍青年将校らが犬養毅首相を暗殺、㋭（　　）事件では陸軍青年将校が政府の要人を襲撃し、軍部の政治介入が強まっていった。

## 解答・解説

**1**　①－コ　②－エ　③－キ　④－サ　⑤－オ　⑥－ス　⑦－チ　⑧－イ　⑨－ソ　⑩－ア　〈解説〉①入鹿は、父の蝦夷とともに中大兄皇子・中臣鎌足に滅ぼされた。②坂上田村麻呂は、802 年に北上川中流に胆沢城を築いた征夷大将軍である。③藤原頼通は、父道長のあとをつぎ、摂政・関白となり、1053 年に宇治に平等院鳳凰堂を造った。④加藤清正らの大名は、秀吉の命をうけ、1592 年と 1597 年に朝鮮を侵略した。これを文禄・慶長の役という。⑤福沢諭吉は慶應義塾の創設者で、著書に「学問のすゝめ」がある。⑥板垣退助は、自由民権運動に力をそそぎ、自由党をつくった。⑦朱子学者の新井白石は、5 代将軍綱吉の死後、生類憐みの令を廃止し、柳沢吉保をしりぞけた 6 代将軍家宣、7 代将軍家継を助けて政治を行った。これを正徳の政治という。⑧長州藩士の吉田松陰は松下村塾で多くの人材を育てたが、安政の大獄で死刑となった。⑨ 1932 年 5 月 15 日、犬養首相は海軍青年将校らによって射殺された。⑩第 3 次吉田内閣は、1951 年 9 月、日本の占領を終了させるサンフランシスコ平和条約と同時に日米安全保障条約に調印した。

**2**　(1)　㋐三世一身法　㋑墾田永年私財法　(2)　㋒執権　㋓管領
(3)　㋔桶狭間　㋕武田勝頼　(4)　㋖（徳川）家斉　㋗（寛政）異学の禁
(5)　㋘五箇条の（御）誓文　㋙版籍奉還　(6)　㋚陸奥宗光　㋛小村寿太郎
(7)　㋜三国協商　㋝サライェヴォ　(8)　㋞五・一五　㋟二・二六
〈解説〉(1)人口増加に対して口分田が不足したため、三世一身法（723 年）や墾田永年私財法（743 年）が制定された。(2)鎌倉幕府の執権は北条氏が世襲した。(4) 11 代将軍家斉のとき、老中松平定信が行った改革を寛政の改革といい、朱子学以外の学問を禁止する（寛政）異学の禁を制定した。(5)明治新政府は 1868 年五箇条の（御）誓文を公布し、1869 年、版籍奉還を行った。(6) 1894 年、外相、陸奥宗光が治外法権の撤廃に、1911 年、外相、小村寿太郎が関税自主権の回復に成功した。
(7)サライェヴォ事件（オーストリア・ハンガリー帝国の皇太子がセルビアの青年に射殺された）をきっかけに第一次世界大戦が始まった。(8)五・一五事件と、1936 年に起きた二・二六事件を機に、日本は戦争への道をひた走ることになる。

3 次の事項に最も関係のあるものを下より選び、記号を書きなさい。

（北関銀行）

① 摂関政治（　）　② 建武の新政（　）　③ 大政奉還（　）
④ 東大寺建立（　）　⑤ 御成敗式目（　）　⑥ 安土城（　）
⑦ 院政の開始（　）　⑧ 大化の改新（　）　⑨ 寛政の改革（　）
⑩ 元禄文化（　）

［語群］
⑦ 葛飾北斎　　① 井原西鶴　　⑦ 豊臣秀吉　　① 中大兄皇子
⑦ 織田信長　　⑦ 徳川慶喜　　⑦ 後醍醐天皇　⑦ 藤原頼通
⑦ 聖武天皇　　⑦ 徳川吉宗　　⑦ 北条泰時　　⑦ 松平定信
⑦ 足利尊氏　　⑦ 白河上皇　　⑦ 徳川家康

4 下の各時代の関連事項Ａ～Ｃに誤りがあります。それを選んで（　）
に記号で書きなさい。

（日本コカ・コーラ）

| ［時　代］ | | ［事　　項］ | | |
|---|---|---|---|---|
| ① 平　安　時　代 | Ａ 大化の改新 | Ｂ 院政の始まり | Ｃ 枕草子 |
| ② 鎌　倉　時　代 | Ａ 御成敗式目 | Ｂ 太閤検地 | Ｃ 元　寇 |
| ③ 室　町　時　代 | Ａ 応仁の乱 | Ｂ 遣唐使の廃止 | Ｃ 雪　舟 |
| ④ 安土・桃山時代 | Ａ 守護地頭 | Ｂ 朝鮮出兵 | Ｃ 聚楽第 |
| ⑤ 江　戸　時　代 | Ａ 解体新書 | Ｂ 武家諸法度 | Ｃ 勘合貿易 |

①（　）　②（　）　③（　）　④（　）　⑤（　）

## 解答・解説

3 ①－⑦　②－⑦　③－⑦　④－⑦　⑤－⑦　⑥－⑦　⑦－⑦　⑧－①
⑨－⑦　⑩－①　〈解説〉①摂関政治の全盛期－藤原道長、頼通父子。②建武の新政－1333年の鎌倉幕府の滅亡をうけて、後醍醐天皇が行った政治。③大政奉還－1867年徳川慶喜が政権を天皇家に返還した。④東大寺建立－743年に聖武天皇が大仏造立の詔を発し、752年に完成した。⑤御成敗（貞永）式目－武家の紛争を公平に裁くための基準で、1232年執権北条泰時が発した法典。⑥安土城－信長が築いた城。⑦院政の開始－天皇位を譲ったあと上皇（院）として政治の実権を握る道を開いたのは白河天皇。⑧大化の改新－中大兄皇子、中臣鎌足が行った一連の政治改革。⑨寛政の改革－松平定信が行った質素・倹約の政治改革。⑩元禄文化－江戸中期の文化で、芭蕉や西鶴、近松門左衛門らが有名。

4 ①－Ａ　②－Ｂ　③－Ｂ　④－Ａ　⑤－Ｃ　〈解説〉①Ａ＝645年（飛鳥時代）②Ｂ＝秀吉の政策（安土・桃山）③Ｂ＝894年（平安）④Ａ＝（鎌倉）⑤Ｃ＝（室町）

5　次の①〜④の事項を年代順に記号で並べかえなさい。　〈丸栄〉

① A　古事記伝　　B　風姿花伝　　C　太平記　　D　曽根崎心中
　　E　おくのほそ道　　F　解体新書

② A　大日本帝国憲法発布　　B　西南戦争　　C　内閣制度発足
　　D　廃藩置県　　E　樺太・千島交換条約　　F　太陽暦採用

③ A　三世一身の法　　B　冠位十二階制定　　C　平安京遷都
　　D　大化の改新　　E　大宝律令　　F　遣唐使開始

④ A　日露戦争　　B　満州事変　　C　盧溝橋事件　　D　日清戦争
　　E　二・二六事件　　F　五・一五事件

6　次の事項に関係ある人名を、下から選びなさい。

① 浄土宗（　）　　　　② 真言宗（　）　　③ 天台宗（　）
④ 法華宗（日蓮宗）（　）　　⑤ 曹洞宗（　）　　⑥ 浄土真宗（　）
⑦ 時宗（　）　　⑧ 臨済宗（　）

　⑦ 最澄　④ 法然　⑦ 日蓮　エ 道元　オ 空海
　カ 親鸞　キ 栄西　ク 良忍　ケ 鑑真　コ 一遍

### 解答・解説

5　①−C・B・E・D・F・A　②−D・F・E・B・C・A
③−B・F・D・E・A・C　④−D・A・B・F・E・C
〈解説〉①古事記伝−本居宣長、風姿花伝−世阿弥、太平記−室町時代（不明）、曽根崎心中−近松門左衛門、おくのほそ道−松尾芭蕉、解体新書−杉田玄白・前野良沢ら。②1871年−廃藩置県、1872年−太陽暦採用、1875年−樺太・千島交換条約、1877年−西南戦争、1885年−内閣制度発足、1889年−大日本帝国憲法発布。③603年−冠位十二階制定、630年−遣唐使開始、645年−大化の改新、701年−大宝律令、723年−三世一身の法、794年−平安京遷都。④1894年−日清戦争、1904年−日露戦争、1931年−満州事変、1932年−五・一五事件、1936年−二・二六事件、1937年−盧溝橋事件。

6　①−④　②−オ　③−⑦　④−⑦　⑤−エ　⑥−カ　⑦−コ　⑧−キ
〈解説〉平安時代に開かれた最澄の天台宗や空海の真言宗は貴族を中心に栄えた密教。平安時代末期から鎌倉時代初期に鎌倉新仏教と呼ばれ武士や農民に新しく6宗派（鎌倉六仏教）が広まった。念仏（南無阿弥陀仏）を唱える法然の浄土宗、親鸞の浄土真宗、一遍の時宗。題目（南無妙法蓮華経）を唱える日蓮の日蓮宗、座禅を行う栄西の臨済宗、道元の曹洞宗の6宗派で、法然（浄土宗）栄西（臨済宗）親鸞（浄土真宗）道元（曹洞宗）日蓮（日蓮宗）一遍（時宗）の順に開宗。

**7** 次の①〜⑩の出来事と同時代の出来事をa〜jから選んで、記号を書きなさい。

①　法隆寺建立　（　　）　　　　　a　第一回十字軍遠征

②　安和の変　（　　）　　　　　　b　フランス革命

③　院政の開始　（　　）　　　　　c　アヘン戦争

④　南北朝動乱始まる　（　　）　　d　アメリカ南北戦争終結

⑤　鉄砲伝来　（　　）　　　　　　e　イスラム教の成立

⑥　豊臣秀吉の全国統一　（　　）　f　オットー1世戴冠

⑦　生類憐みの令　（　　）　　　　g　英仏百年戦争開始

⑧　寛政の改革　（　　）　　　　　h　スペイン無敵艦隊撃滅

⑨　天保の改革　（　　）　　　　　i　名誉革命

⑩　大政奉還　（　　）　　　　　　j　カルヴァンの宗教改革

## 解答・解説

**7**　①−e　②−f　③−a　④−g　⑤−j　⑥−h　⑦−i　⑧−b　⑨−c　⑩−d　〈解説〉①法隆寺建立−7世紀−イスラム教の成立。②安和の変　左大臣源高明が左遷された−969年（10世紀半ば）−オットー1世戴冠。③院政の開始−1086年（11世紀後半）−第一回十字軍遠征。④南北朝の動乱−1336年（14世紀前半）−英仏百年戦争開始。⑤鉄砲伝来−1543年（16世紀半ば）−カルヴァンの宗教改革。⑥豊臣秀吉の全国統一−1590年（16世紀末）−スペイン無敵艦隊撃滅。⑦生類憐みの令−1685年（17世紀後半）−名誉革命。⑧寛政の改革−18世紀後半−フランス革命。⑨天保の改革−19世紀半ば−アヘン戦争。⑩大政奉還−1867年（19世紀半ば）−アメリカ南北戦争終結。

# 世界史の問題

---

1. 次の人物に関係の深いものをあとから選び、記号を書きなさい。

① クレイステネス（　）　　② オクタウィアヌス（　）

③ カール大帝（　）　　　④ ジャンヌ・ダルク（　）

⑤ ロベスピエール（　）　　⑥ ルイ・フィリップ（　）

⑦ ビスマルク（　）　⑧ 孫文（　）　⑨ レーニン（　）

⑩ ウィルソン（　）

　⑦　デモクラシー　⑦　三十年戦争　⑦　オストラシズム

　⑦　三民主義　⑦　ジロンド派　⑦　フランク王国

　⑦　国際連合　⑦　元首政　⑦　民本主義　⑦　鉄血政策

　⑦　百年戦争　⑦　共和政　⑦　ジャコバン派

　⑦　東ローマ帝国　⑦　ナチス　⑦　農奴解放令

　⑦　十一月革命　⑦　七月革命　⑦　国際連盟

---

## ▎▎解答・解説 ➡

**1**　①—⑦　②—⑦　③—⑦　④—⑦　⑤—⑦　⑥—⑦　⑦—⑦　⑧—⑦
⑨—⑦　⑩—⑦　〈解説〉①クレイステネスは古代アテネの民主化のリーダー。
②オクタウィアヌスは古代ローマの初代皇帝。エジプトを併合し、地中海域を平
定した。③カール大帝はカロリング朝の２代目王で、フランク王国の国王。800
年に西ローマ皇帝に即位した。④ジャンヌ・ダルクは百年戦争のさなか、神のお
告げを受けて敗北寸前の仏軍を鼓舞し、英軍の撃退に成功。⑤ロベスピエールは
フランス革命の後、ジャコバン派のリーダーとなり、恐怖政治を推進した。
⑥ルイ・フィリップは七月革命によりフランスの王位につくが、しだいに反動化
し、二月革命によりイギリスに亡命した。⑦ビスマルクはドイツ帝国初代宰相。
鉄は武器、血は兵士を示す鉄血政策と呼ばれる軍備拡張を強行し、オーストリア、
フランスに勝ってドイツ統一を完成した。⑧孫文は中国革命の指導者。三民主義
（民族の独立、民権の伸張、民生の安定）を発表し、辛亥革命をおこした。⑨レー
ニンはロシア革命の指導者。十一月革命の成功により、史上初の社会主義政権を
確立した。⑩ウィルソンは第一次世界大戦当時のアメリカ大統領。大戦後ヴェル
サイユ会議において、国際連盟の設立を提案した。

**2** 次にあげる文の空欄にあてはまる語句を書きなさい。

(1) 395年、ローマ帝国は（　）民族の大移動によって東西に分裂した。

(2) 843年、三分したフランク王国は、それぞれ現在の（　）、（　）、（　）の起源となった。

(3) 610年ころ（　）のおこしたイスラム教の信徒たちは、国家を築き上げ、8世紀前半の最盛期には三大陸にまたがる大帝国となった。

(4) 1096年、キリスト教の聖地（　）を奪回するために第一回十字軍が派遣された。

(5) 1215年、封建貴族たちが結束して、ジョン王に（　）を認めさせた。

**3** 次にあげる文の空欄にあてはまる語句をあとから選び、書きなさい。また、(1)〜(3)はそれぞれ何について書いてあるか答えなさい。

(1) はじめ工場制手工業による(a)（　）工業がさかんだったが、18世紀に入ると(b)（　）工業がおこり、紡績機の発明やワットの蒸気機関の改良が成功すると工場制機械工業が発展した。

(2) 1789年、パリ市民が蜂起し(c)（　）を襲撃し、これを口火に革命が始まった。国民議会は(d)（　）を発表、国王を処刑し共和制をしいた。

(3) イギリスからの移民が(e)（　）の植民地を建設。イギリス本国の圧政に対して戦争を起こし、1776年にはジェファーソンによって起草された(f)（　）が公布された。

① ヴェルサイユ宮殿　② 人権宣言　③ 10　④ 綿織物　⑤ 13
⑥ 大憲章　⑦ バスティーユ牢獄　⑧ 毛織物　⑨ 独立宣言

**4** 次の組み合わせのうち、正しい組を1つ選びなさい。

① ゴッホ――タヒチの女――印象派
② ハイネ――冬物語――合理主義
③ モーツァルト――マダム・バタフライ――古典派
④ カント――純粋理性批判――実存主義
⑤ モーパッサン――女の一生――自然主義

**5** 次にあげた河川のうちで、古代文明の発祥地といわれるものを4つ選び、番号で答えなさい。

① インダス河流域　② 長江流域　③ アマゾン河流域
④ ドナウ河流域　⑤ テームズ河流域　⑥ 黄河流域
⑦ ミシシッピー河流域　⑧ チグリス・ユーフラテス河流域
⑨ ナイル河流域

6　次の(1)～(5)にそれぞれふくまれるa・b・cの各文を古いものから年代順に正しく並べかえなさい。

(1)　a　隋の煬帝が使いを日本に送った。
　　　b　倭王武が中国に使いを送る。
　　　c　秦の始皇帝が焚書坑儒を行う。

(2)　a　キエフ大公国が成立する。
　　　b　第二回十字軍が出発する。
　　　c　セルジューク朝がおこる。

(3)　a　グーテンベルクが活版印刷術を発明する。
　　　b　ダンテが「神曲」をあらわす。
　　　c　ルターが宗教改革の運動を始める。

(4)　a　イギリスが東インド会社を設立する。
　　　b　イギリスでピューリタン革命がおこる。
　　　c　イギリスとフランスの百年戦争が終わる。

(5)　a　フランスで二月革命がおこる。
　　　b　フランスでナポレオン1世が皇帝になる。
　　　c　アメリカの独立宣言が発表される。

## 解答・解説

2　(1)ゲルマン　(2)ドイツ、イタリア、フランス（順不同）
(3)ムハンマド　(4)エルサレム　(5)マグナ・カルタ（大憲章）

3　ⓐ－⑧　ⓑ－④　ⓒ－⑦　ⓓ－②　ⓔ－⑤　ⓕ－⑨　(1)産業革命　(2)フランス革命　(3)（アメリカ）独立戦争

4　⑤　〈解説〉①「タヒチの女」はゴーガンの作品。②ハイネはドイツのロマン派詩人。自由主義。③マダム・バタフライ（蝶々夫人）はプッチーニのオペラ。④カントはドイツ観念論哲学を創始した。批判主義。

5　①・⑥・⑧・⑨

6　(1)　c－b－a　(2)　a－c－b　(3)　b－a－c　(4)　c－a－b
(5)　c－b－a　〈解説〉(1)　a－608年　b－478年　c－B.C.213年
(2)　a－882年　b－1147年　c－1038年　(3)　a－1445年　b－1321年
c－1517年　(4)　a－1600年　b－1642年　c－1453年　(5)　a－1848年
b－1804年　c－1776年

**7** 次にあげる各文が説明している人物の名を書きなさい。また、各文の下線部が示しているものを答えなさい。

(1) マケドニア・ギリシア連合軍を率いてペルシア帝国を滅ぼし、インドにまで東進、バビロンを首都とする大帝国を築いた。また、彼の東西融合政策は、ギリシア世界とオリエント世界を結びつけ、ⓐ新しい世界文化を生みだした。

(2) 1271年国号を大元とし、都を大都（現在の北京）に定めた。さらに、南宋を滅ぼし全中国を統一、元朝支配を確立した。また、日本を属国にしようとⓑ1274年、1281年の二回にわたって大軍を送ったがいずれも失敗に終わった。

(3) 16世紀初め中南米を探検し、大陸の地理を述べた旅行記を残し、これがインドと異なる新大陸であることを明らかにした。このためⓒ新大陸は彼の名にちなんで呼ばれることとなった。

(4) メアリ1世の後にイギリス女王に即位。スペインの無敵艦隊を破り、対外的にも国内的にも大きな躍進をとげ、イギリス絶対主義を完成させた。また、貿易・植民活動にも力を入れ、ⓓ1600年にインド進出のための会社を設立した。

(5) 宰相を置かず、半世紀以上にわたって親政を行い、フランス絶対主義の絶頂期を築いた。また、ⓔ君主の権力を擁護・神聖化する考えを信奉し、「朕は国家なり」と述べたと伝えられている。

(6) 普仏戦争に勝利しドイツ帝国が成立すると、初代の宰相に就任した。国内的には経済力の発展に力を入れる一方、外交にも手腕をふるい、ドイツの国際的地位を高めた。ⓕ1882年にはオーストリア、イタリアとの間に盟約を結んだ。

(7) 1929年に起こった世界恐慌により、アメリカ経済界は大打撃を受けた。その最中に大統領に就任した彼は、恐慌対策としてⓖ経済に社会主義的要素を採り入れ、金融・産業・物価の全面にわたって強力な国家統制を実現しようとした。大規模な公共事業を起こし、失業対策を行うとともに各種の社会保険法を実施、社会政策を推し進めた。

(8) 中国では国民党と共産党による内戦状態が続いた。彼は中国共産党を率い、新民主主義を旗印として農村に強固な地盤を築き、人民解放を進めた。結果1948年には満州・華北を手中にし、翌年には中国全土を統一した。同年中華人民共和国が成立し、主席となった。一方国民党右派はⓗ蔣介石を総統として分立し、地方政権の存在に落ちた。

8　次の事項を、古い順に記号で書きなさい。　(近畿大楠)

① A　ロシア革命　　B　第二次世界大戦　　C　アメリカ独立戦争
　　D　第一次世界大戦　E　百年戦争　　　　（　　　　　　　）

② A　ルター　　　　B　アリストテレス　　C　カール大帝
　　D　ビスマルク　　E　キリスト　　　　　（　　　　　　　）

③ A　共産党宣言　　B　民約論　　　　　　C　フランス革命
　　D　権利の章典　　E　ワイマール憲法　　（　　　　　　　）

④ A　産業革命　　　B　ワイマール憲法　　C　パリ・コミューン
　　D　安土桃山文化　E　モンゴル帝国の西征　（　　　　　　　）

⑤ A　ロシア革命　　B　共産党宣言　　　　C　フランス革命
　　D　大日本帝国憲法　E　アメリカ合衆国の建国　（　　　　　　　）

---

### 解答・解説

7　(1)アレクサンダー大王　ⓐヘレニズム文化　(2)フビライ汗（フビライ・ハン）ⓑ蒙古襲来（文永・弘安の役）　(3)アメリゴ・ヴェスプッチ　ⓒアメリカ　(4)エリザベス1世　ⓓ東インド会社　(5)ルイ14世　ⓔ王権神授説　(6)ビスマルク　ⓕ三国同盟　(7)フランクリン・ローズヴェルト　ⓖニューディール政策　(8)毛沢東　ⓗ国民政府

8　①－E・C・D・A・B　②－B・E・C・A・D
③－D・B・C・A・E　④－E・D・A・C・B　⑤－E・C・B・D・A
〈解説〉②ルターはドイツの宗教改革者。1517年宗教改革が始まる。アリストテレスは古代ギリシャの哲学者。カール大帝は中世時代、西ヨーロッパを統一し、フランク王国の皇帝となった。③民約論（社会契約論）はルソーの著作。権利の章典は1689年にイギリスで立法化された。ワイマール憲法は1919年にドイツで制定された。④産業革命は18世紀後半からイギリスで始まった。パリ・コミューンは1871年、パリ市民により成立した自治政府。安土桃山文化は織田信長・豊臣秀吉の時代の文化（16世紀後半）のこと。バトゥによる西征（ヨーロッパ遠征）は1236年から。⑤ロシア革命は1917年に勃発。共産党宣言は1848年にマルクスとエンゲルスが発表した。アメリカ合衆国は1776年に独立を宣言。大日本帝国憲法公布は1889年。フランス革命は1789年に勃発。

# 地理の問題

**1** 次のa～jの生産・産出に関係が深い国を下記の①～⑩から選び、その番号を（ ）に記入しなさい。

a　天然ゴム（　　）　b　綿（　　）　c　銅鉱（　　）　d　白金（　　）

e　原油（　　）　f　大麦（　　）　g　銀（　　）　h　米（　　）

i　ニッケル鉱（　　）　j　コーヒー豆（　　）

①　インド　②　インドネシア　③　中国　④　ロシア

⑤　ブラジル　⑥　メキシコ　⑦　チリ　⑧　アメリカ

⑨　タイ　⑩　南アフリカ共和国

**2** 次の説明文のうち正しいものには○、誤っているものには×をつけなさい。

(1)　偏西風は、中緯度地方の上空を西から東へ1年中吹いている風のことで、南半球の偏西風帯は、俗に暴風圏といわれ、「ほえる40度」、「狂暴な50度」と呼ばれる。

(2)　1年間に2種類の作物を同一耕地で栽培することを、二期作という。

(3)　土地利用の一方法で、耕地を3等分し、おのおのに冬穀作付・春穀作付・放牧の3つを順次に繰り返すことを、三圃式農業と呼び、肥料を節約し土地の肥沃度を保つために行う。

(4)　隆起海食台や海岸平野が階段状になった地形を海岸段丘という。海面変化にもとづく海岸段丘面の高さは、世界的にほぼ等しい高さを示している。

**3** 次の都市に関わる生産（出荷）額が多い産業を選び、記号を書きなさい。

①四国中央市（　　）　　②土岐市（　　）　　③燕市（　　）　　④豊田市（　　）

⑤かほく市（　　）　　⑥浜松市（　　）　　⑦富山市（　　）　　⑧今治市（　　）

⑨枚方市（　　）　　⑩君津市（　　）

㋐　金属洋食器　㋑　製紙・パルプ・紙加工品　㋒　自動車関連製造

㋓　一般医薬品　㋔　陶磁器(食器)

㋕　製糸・紡績・化学繊維・ねん糸等　㋖　木製家具(漆塗除く)

㋗　製鉄　㋘　ピアノ製造　㋙　造船

4　次にあげる文の空欄にあてはまる語句を書きなさい。

(1) 西ヨーロッパの国々が、高緯度の割に気温が温暖なのは、暖流である（　①　）と、（　②　）のおかげである。

(2) 東南アジアには（　③　）と呼ばれる中国系の人々が多く、商業・貿易などの地域の経済活動に大きな影響力をもっている。

(3) 日本の世界遺産のひとつ（　④　）は、核兵器の惨禍を伝える「負の遺産」として知られる。

(4) 近年アメリカでは中南米諸国出身の移住者で、主にスペイン語を話す（　⑤　）と呼ばれる人々が増えている。

5　次の山・湖・川・島・半島などが所在する都道府県名を（ ）に書きなさい。

（春川観光ほか）

① 霞 ヶ 浦（　　　　）　　② 利 尻 島（　　　　）
③ 琵 琶 湖（　　　　）　　④ 奄美大島（　　　　）
⑤ 最 上 川（　　　　）　　⑥ 猪苗代湖（　　　　）
⑦ 八 丈 島（　　　　）　　⑧ 阿 蘇 山（　　　　）
⑨ 知多半島（　　　　）　　⑩ 淡 路 島（　　　　）

## 解答・解説

1　a－⑨　b－①　c－⑦　d－⑩　e－⑧　f－④　g－⑥　h－③
i－②　j－⑤

2　(1)－○　(2)－×（2種類の作物→同一作物を2回）
(3)－×（春穀作付→夏穀作付）　(4)－○

3　①－イ　②－オ　③－ア　④－ウ　⑤－カ　⑥－ケ　⑦－エ　⑧－コ
⑨－キ　⑩－ク

4　(1)　①北大西洋海流　②偏西風　(2)　③華僑（華人）
(3)　④原爆ドーム　(4)　⑤ヒスパニック

5　①　茨城県　②　北海道　③　滋賀県　④　鹿児島県　⑤　山形県
⑥　福島県　⑦　東京都　⑧　熊本県　⑨　愛知県　⑩　兵庫県

**6** 次の南アジアに関する文中の空欄A～Dにあてはまる地名を下の語群から選んで番号を書き入れなさい。

ユーラシア大陸の南部に半島状に突出して、インド洋を東の（ A ）と西の（ B ）に分け、南端に（ C ）のある地域を南アジアという。北はヒマラヤ・カラコルムなどの高く急峻な山脈に遮られ、それらの山脈により流れ出るブラマプトラ川、ガンジス川に沿ってヒンドスタン平原となり、西には（ D ）沿いのパンジャブ地方などの平地がある。

〔語　群〕

① ベンガル湾　　② アラビア海　　③ マダガスカル島

④ インダス川　　⑤ セイロン島　　⑥ ガンジス川

⑦ セレンガ川　　⑧ ウラル川　　　⑨ オビ川

**7** 各国の首都に関する記述で正しいものには〇、誤っているものには×をつけなさい。

⑴ インド＝首都のニューデリーはインドが、イギリス領であった当時に計画的に建設された都市である。

⑵ カナダ＝首都は東部に位置するケベックで、フランス系住民との融和を意図して首都と定められている。

⑶ ブラジル＝かつて首都はサンパウロであったが、同市が南米最大の工業都市に発展したため、首都を移転することとなり、アマゾン河口にブラジリアが建設された。

⑷ オーストラリア＝かつて首都はメルボルンであったが、広く世界に公募した都市計画によって、近代的理想都市としての首都キャンベラが建設された。

**8** 次の各国の首都名を（ ）に書きなさい。

① キ ュ ー バ（　　　　　　）　② ベ ネ ズ エ ラ（　　　　　　）

③ ハ ン ガ リ ー（　　　　　　）　④ ト ル コ（　　　　　　）

⑤ モ ン ゴ ル（　　　　　　）　⑥ レ バ ノ ン（　　　　　　）

⑦ エ チ オ ピ ア（　　　　　　）　⑧ ス ウ ェ ー デ ン（　　　　　　）

⑨ ア ル ゼ ン チ ン（　　　　　　）　⑩ オ ー ス ト リ ア（　　　　　　）

9  地理学の歴史について書かれた次の文の ｛  ｝のうち、正しいほうを選んで書きなさい。

(1)  ローマ時代ⓐ ｛エラトステネス    ストラボン｝は「地理書」17 巻を著した。

(2)  フンボルトはⓑ ｛人文地理学    自然地理学｝の祖、リッターはⓒ ｛人文地理学  自然地理学｝の祖とされる。

(3)  ラッツェルはフンボルトとリッターの考えを引き継ぎ、人間活動と自然環境の関係についてⓓ ｛環境決定論    環境可能論｝を唱えた。

10  次の各文が説明している事物の名称をそれぞれ書きなさい。

(1)  1971 年に採択された。渡り鳥などの多い水鳥の生息地として重要性の高い湿地を登録し、保護する。日本では釧路湿原など。

(2)  インドに現在も残っている、ヒンズー教と結びついた身分制度で、インドの近代化の妨げになっている。

(3)  気象庁の定義では、南米のペルー沖から東太平洋赤道域にかけての海域で、月平均海面水温が平年より0.5℃以上高い状態が6か月以上続いたときを指す、世界各地で異常気象をもたらす現象。

(4)  夏は高温で乾燥し、冬は温暖多雨で、雨量は全体として少なく、晴天の日が多い。ニースやサンフランシスコなどは、よくその特色を表し、オリーブ、オレンジなどが栽培される。

## 解答・解説

6  A−①  B−②  C−⑤  D−④
7  (1)  ○  (2)  ×（首都オタワ）  (3)  ×（旧首都はリオデジャネイロ）
(4)  ○
8  ①ハバナ  ②カラカス  ③ブダペスト  ④アンカラ  ⑤ウランバートル
⑥ベイルート  ⑦アジスアベバ  ⑧ストックホルム  ⑨ブエノスアイレス
⑩ウィーン
9  (1)  ⓐストラボン  (2)  ⓑ自然地理学  ⓒ人文地理学  (3)  ⓓ環境決定論
10  (1)  国際湿地条約（ラムサール条約）  (2)  カースト（制）
(3)  エルニーニョ（現象）  (4)  地中海性気候（地域）

# 政治・経済・社会の問題

**1** 次にあげる国際機関の略称を下から選んで、記号を書きなさい。

① 国連児童基金 ② 世界保健機関 ③ 国際労働機関

④ 国際通貨基金 ⑤ 国連教育科学文化機関 ⑥ 欧州連合

⑦ 国際原子力機関 ⑧ 石油輸出国機構

　㋐ EU 　㋑ IAEA 　㋒ UNESCO 　㋓ IMF

　㋔ WHO 　㋕ UNICEF 　㋖ OPEC 　㋗ ILO

**2** 衆議院議員の選挙制度（小選挙区比例代表並立制）について述べた、次の記述で間違っているものを1つ選びなさい。

(1) 定数は小選挙区を289、比例代表区を176としている。

(2) 同一人物が、小選挙区と比例代表区の両方に立候補することはできない。

(3) 小選挙区で定数が2以上のところはない。

(4) 小選挙区で当選できなくても、供託物没収点以上の得票ならば「惜敗率」によって、比例代表区で当選することも可能である。

(5) 比例代表区は全国を11ブロックに分ける。

**3** 次の文の（　）に適する語句を下の語群から記号で選び、文を完成しなさい。

（明治安田生命、神戸製鋼所）

　国権の（①）である国会は、国の唯一の（②）であって、（③）と（④）の二院から構成されている。国会議員は主権者である（⑤）によって直接選挙される。議員の（⑥）は衆参両院でそれぞれ異なり、前者は（⑦）、後者は（⑧）であり、後者はその半数ずつが（⑨）される。

[語群] ⓐ 衆議院 ⓑ 4 年 ⓒ 3 年 ⓓ 6 年
　　　 ⓔ 最高機関 ⓕ 参議院 ⓖ 国 民 ⓗ 任 期
　　　 ⓘ 行政機関 ⓙ 改 選 ⓚ 立法機関 ⓛ 司法機関

**4** 内閣について答えなさい。

(1) 内閣が国会に対して連帯して責任を負う政治のしくみを何というか。

(2) 次のうち内閣の権限としてあてはまらないものを1つ選んで番号を書きなさい。

　① 天皇の国事行為に対する助言と承認 ② 法律の制定

　③ 予算案の作成 ④ 政令の制定 ⑤ 国会の臨時会の召集

5 国会について答えなさい。

(1) 次の文の（　）の中にあてはまる語句・数字を書きなさい。

（ ⓐ ）国会は毎年1月に召集され、会期は（ ⓑ ）日間である。

(2) 衆議院は参議院より強い権限が与えられているが、次のうち両院の権限が対等なものを1つ選んで、番号を書きなさい。

① 法律案の議決　　② 内閣総理大臣の指名　　③ 条約の承認

④ 憲法改正の発議　　⑤ 予算の議決

6 次にあげるのは、日本国憲法の三大原則に関する憲法の条文である。空欄にあてはまる語句を書きなさい。

(1) 天皇は、日本国の（　　）であり日本国民統合の（　　）であつて、この地位は、主権の存する日本国民の総意に基く。

(2) 日本国民は、正義と秩序を基調とする国際平和を誠実に希求し、国権の発動たる戦争と、武力による威嚇又は武力の行使は、（　　）を解決する手段としては、永久にこれを放棄する。

(3) すべて国民は、個人として尊重される。生命、自由及び幸福追求に対する国民の権利については、（　　）に反しない限り、立法その他の国政の上で、最大の尊重を必要とする。

## 解答・解説

1 ①－カ ②－オ ③－ク ④－エ ⑤－ウ ⑥－ア ⑦－イ ⑧－キ
〈解説〉欧州連合（EU）は1993年設立。1999年1月より単一通貨（ユーロ）を導入。人、物、お金、サービスがEUの中を自由に行き来できるようにした。

2 (2) 〈解説〉比例代表区は候補者一人に対し300万円、選挙区は300万円の供託金の計600万円で、重複立候補できる。

3 ①－ⓔ ②－ⓚ ③－ⓐ(ⓕ) ④－ⓕ(ⓐ) ⑤－ⓖ ⑥－ⓗ ⑦－ⓑ ⑧－ⓓ
⑨－ⓙ 〈解説〉国会は国権の最高機関であり、唯一の立法機関である（憲法第41条）。二院制をとり、衆議院は定数465名、任期4年（解散あり）、参議院は定数248名になり（2022年7月26日から適用）、任期6年（3年ごとに半数改選）。

4 (1) 議院内閣制 (2) ② 〈解説〉内閣は行政機関であり、内閣総理大臣は国会において、国会議員の中から指名される。国務大臣は内閣総理大臣が任命し、過半数が国会議員である。

5 (1) ⓐ通常 ⓑ150 (2) ④

6 (1) 象徴　象徴 (2) 国際紛争 (3) 公共の福祉 〈解説〉日本国憲法の三大原則は①国民主権（象徴としての天皇）②平和主義（戦争の放棄）③基本的人権の尊重である。

**7** 次の文の空欄にあてはまる数字を書きなさい。

(1) 衆議院議員や地方議会議員の被選挙権は（ ⓐ ）歳以上、参議院議員や都道府県知事の被選挙権は（ ⓑ ）歳以上を年齢の要件とする。

(2) 地方自治において、条例の制定・改廃の請求には、有権者の（ ⓒ ）以上の署名が必要である。また、議会の解散や首長解職には有権者が40万人に満たない場合は、有権者の（ ⓓ ）以上の署名が必要である。

**8** 次の各文のうちで、正しいものを１つ選びなさい。 (SMBC日興証券ほか)

(1) 現行憲法を改正するためには、衆議院と参議院の合同総会を開き、その出席議員の３分の２の賛成を経て発議し、国民投票の過半数の承認を得る必要がある。

(2) 衆議院と参議院で異なった議決をした法案は、衆議院で出席議員の３分の２以上の多数で再び可決したとき法律となる。

(3) 衆議院で可決した法案は、参議院で出席議員の３分の１以上の多数で可決したとき法律となる。

(4) 衆参両院とも、本会議は各々の出席議員が、総議員の半数以上でなければ開くことができない。

(5) 衆議院が解散しても、参議院は審議を続行して、閉会にはしない。

(6) 今国会の会期中に議決するまでに至らなかった案件は、次の国会に継続する。

**9** 次にあげるのは経済・社会学者とその代表的著書の組み合わせである。正しいものをすべて選んで、番号を書きなさい。

① マルサス：国富論　② エンゲルス：空想から科学への社会主義の発展　③ アダム・スミス：資本論　④ マルクス：国家と革命
⑤ ケインズ：雇用・利子および貨幣の一般理論

**10** 国民の経済のしくみについて、右図のⓐ～ⓕにあてはまるものを選んで、記号を書きなさい。

㋐ 労働力・租税
㋑ 賃金・品物・サービス
㋒ 賃金・社会保障費
㋓ 租税・品物・サービス
㋔ 労働力・代金
㋕ 投資・融資・代金

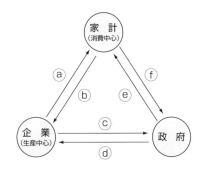

11　わが国の司法制度について次の問いに答えなさい。

(1)　憲法の「すべて裁判官は、その良心に従ひ独立してその職権を行ひ、この憲法及び法律にのみ拘束される。」という規定は、何について定めたものか書きなさい。

(2)　次の文の空欄にあてはまる語句を書きなさい。

　裁判で第一審の判決に不服な場合（　ⓐ　）できる。さらに第二審の判決に不服な場合は（　ⓑ　）することができる。このように公正な裁判を行うためのしくみを（　ⓒ　）という。

12　次の各文は何について述べたものか。下の語群から選びなさい。

(1)　一定期間に国内に居住する経済主体（生産活動関連主体。日本企業）が生み出した、総付加価値額。日本企業でも海外支店は除く。

(2)　(1)に、海外からの純所得受取を加えたもの。

(3)　(1)を消費や輸出などに当てられる支出の合計でとらえたもの。

［語群］

　国民純生産（ＮＮＰ）　国内総支出（ＧＤＥ）　国内総所得（ＧＤＩ）
　国内総生産（ＧＤＰ）　国民総所得（ＧＮＩ）

13　次の文の空欄にあてはまる語句を書きなさい。

(1)　価格の中で、需要と供給の関係で決まる価格を（　）という。

(2)　独占の形態で、市場における競争の制限を目的とし、価格・生産量などについて、同種の企業が協定することを（　）という。

(3)　景気が停滞しているにもかかわらず、物価が上昇を続けることを（　）という。

### 解答・解説

7　(1) ⓐ25　ⓑ30　(2) ⓒ50分の1　ⓓ3分の1　　8　(2)

9　②、⑤　〈解説〉①マルサスは「人口論」を著した。③アダム・スミスは「国富論」を著した。④マルクスは「資本論」を著した。「国家と革命」はレーニンの著作。

10　ⓐ—イ　ⓑ—オ　ⓒ—エ　ⓓ—カ　ⓔ—ウ　ⓕ—ア

11　(1) 司法権の独立　(2) ⓐ控訴　ⓑ上告　ⓒ三審制　〈解説〉裁判所は独立して司法権を行使できる。裁判所には下級裁判所（高等・地方・簡易・家庭）と最高裁判所がある。

12　(1) 国内総生産（ＧＤＰ）(2) 国民総所得（ＧＮＩ）(3) 国内総支出（ＧＤＥ）

13　(1) 市場価格　(2) カルテル　(3) スタグフレーション

**14** わが国の三権分立について、右図の⒜〜⒡にあてはまるものを選んで、記号を書きなさい。

⑦　裁判官の弾劾裁判

⑦　最高裁判所長官の指名
　　裁判官の任命

ウ　衆議院の解散

エ　違憲立法の審査

⑦　命令・処分の違憲審査

⑦　内閣総理大臣の指名
　　内閣不信任決議

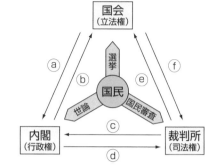

**15** 現代国家は、議会が優位にあった19世紀の立法国家に対して、行政国家と呼ばれている。行政国家と立法国家について、正しい文章を次のア〜エの中から1つ選び、記号で答えなさい。

ア　行政国家では、立法国家と比べると、行政官庁の許認可権の総数が減少するのが普通である。

イ　行政国家では、立法国家と比べると、財政規模が小さくなるのが普通である。

ウ　行政国家では、立法国家と比べると、福祉を重視するのが普通である。

エ　行政国家では、立法国家とは異なり、憲法上、法律よりも行政機関の命令が優先するのが普通である。

## 解答・解説

**14**　⒜−⑦　⒝−ウ　⒞−⑦　⒟−⑦　⒠−エ　⒡−⑦

**15**　ウ　〈解説〉行政国家は財政・経済政策・社会保障政策などを通じて、国民生活の安定をはかろうとする。

# 文化・思想の問題

（桃和醸醇）

1　次にあげる書物の著者を下の人物群から選んで書きなさい。

① 「君主論」（　　　　）　　　② 「方法序説」（　　　　）

③ 「リヴァイアサン」（　　　）　④ 「統治二論」（　　　　）

⑤ 「ペルシア人の手紙」（　　　）⑥ 「社会契約論」（　　　　）

⑦ 「純粋理性批判」（　　　）　　⑧ 「経済学批判」（　　　　）

⑨ 「ツァラトゥストラはかく語りき」（　　　　）

［人物群］

モンテスキュー　　　ニーチェ　　　デカルト　　　ロック

ホッブズ　　マルクス　　マキャベリ　　ルソー　　カント

2　次にあげる哲学者・思想家の思想を表す言葉を⑧〜①から選んで、線で結びなさい。

① カント　　　　　　⑧　理性の批判

② デカルト　　　　　⑥　四つのイドラ

③ パスカル　　　　　⑥　神への絶望

④ ベーコン　　　　　⑥　万人の万人に対する戦い

⑤ ホッブズ　　　　　⑥　我思う、故に我あり

⑥ キルケゴール　　　①　人間は考える葦である

3　次の文章の空欄を適語でうめなさい。

①□□□□は、「まずしい家計ほど②□□□□の中に占めている③□□□□の割合が大きい」ことを発見した。これを④□□□□という。

## 解答・解説

1　①マキャベリ　②デカルト　③ホッブズ　④ロック　⑤モンテスキュー
⑥ルソー　⑦カント　⑧マルクス　⑨ニーチェ

2　①−⑧　②−⑥　③−①　④−⑥　⑤−⑥　⑥−⑥

3　①エンゲル　②生活費（総消費支出）　③飲食費　④エンゲルの法則

4　次にあげるのは江戸時代の思想家たちである。それぞれにあてはまる
事物を選んで、記号を書きなさい。

① 安藤昌益（　　　　）　　　⑦ 近江聖人
② 石田梅岩（　　　　）　　　④ 古義堂
③ 伊藤仁斎（　　　　）　　　⑨ 「政談」
④ 中江藤樹（　　　　）　　　④ 心学
⑤ 荻生徂徠（　　　　）　　　④ 「自然真営道」

5　次の作品の作者名を下の語群から選んで、記号で答えなさい。

（日本写真印刷、三井生命）

① 人口論（　　）　　② 戦争と平和（　　）　　③ ひまわり（　　）
④ 法の精神（　　）　　⑤ 人形の家（　　）　　⑥ 晩鐘（　　）
⑦ 昆虫記（　　）　　⑧ 怒りの葡萄（　　）　　⑨ 考える人（　　）
⑩ 種の起源（　　）　　⑪ どん底（　　）　　⑫ 田園交響曲（　　）
⑬ 民約論（　　）　　⑭ 阿Q正伝（　　）　　⑮ 鱒（　　）
⑯ 資本論（　　）　　⑰ 赤と黒（　　）　　⑱ ゲルニカ（　　）
⑲ 神曲（　　）　　⑳ 罪と罰（　　）　　㉑ カルメン（　　）
㉒ ハンガリー狂詩曲（　　）　　㉓ 若きヴェルテルの悩み（　　）
㉔ 牧神の午後への前奏曲（　　）　　㉕ ドイツ国民に告ぐ（　　）

［語　群］

ⓐ イプセン　ⓑ 魯迅　ⓒ ビゼー　ⓓ シューベルト　ⓔ リスト
ⓕ ファーブル　ⓖ ダーウィン　ⓗ スタインベック　ⓘ ロダン
ⓙ フィヒテ　ⓚ ゲーテ　ⓛ ドストエフスキー　ⓜ マルサス
ⓝ ミレー　ⓞ ルソー　ⓟ モンテスキュー　ⓠ マルクス　ⓡ トル
ストイ　ⓢ プラトン　ⓣ ドビュッシー　ⓤ ダンテ　ⓥ ゴーリキー
ⓦ ゴッホ　ⓧ ベートーベン　ⓨ ピカソ　ⓩ スタンダール

6　次にあげるのは、明治期に活躍した芸術家とその作品の組み合わせで
あるが、作者と作品名の組み合わせが取りかわっているものが1組ある。
その番号を書きなさい。

① 横山大観：「生々流転」　　② 黒田清輝：「読書」
③ 高村光雲：「墓守」　　　　④ 朝倉文夫：「老猿」
⑤ 青木繁：「海の幸」

7　次にあげる音楽家の代表的なオペラを下の語群から選んで書きなさい。

① モーツァルト（　）　　② ウェーバー（　）

③ ヴェルディ（　）　　　④ プッチーニ（　）

⑤ ビゼー（　）

［語　群］

「アルルの女」　　　　「アイーダ」　　　　「マノン・レスコー」

「フィガロの結婚」　　　「魔弾の射手」

8　次にあげるのはルネサンス期に活躍した人物とその作品の組み合わせである。正しいものをすべて選んで、番号を書きなさい。

① ミケランジェロ：ダヴィデ像　　② ラファエロ：最後の晩餐

③ レオナルド・ダ・ヴィンチ：聖母子像　④ ボッカチオ：デカメロン

⑤ トマス・モア：愚神礼讃　　　　⑥ ボッティチェリ：ユートピア

⑦ エラスムス：カンタベリー物語

9　次にあげる各文が説明する画家の名を書きなさい。

(1) スペインキュビズムの代表的画家。作風がめまぐるしく変化し、その一つが「青の時代」と呼ばれる。代表作に「泣く女」などがある。

(2) フランス印象派の画家で、代表作に「水浴する女」などがある。

(3) ノルウェー出身の画家で、代表作「叫び」の作者として知られる。

(4) フランス印象派の画家で、代表作に「睡蓮」などがある。

(5) 17世紀オランダの代表的画家で、代表作に「夜警」などがある。

**解答・解説**

4　①－オ　②－エ　③－イ　④－ア　⑤－ウ

5　①－m　②－r　③－w　④－p　⑤－a　⑥－n　⑦－f　⑧－h

⑨－i　⑩－g　⑪－v　⑫－x　⑬－o　⑭－b　⑮－d　⑯－q　⑰－z

⑱－y　⑲－u　⑳－l　㉑－c　㉒－e　㉓－k　㉔－t　㉕－j

6　③と④

7　①「フィガロの結婚」　②「魔弾の射手」　③「アイーダ」

④「マノン・レスコー」　⑤「アルルの女」

8　①、④

9　(1) ピカソ　(2) ルノアール　(3) ムンク　(4) モネ　(5) レンブラント

**10** 次の各文が説明する人物や事象の正しい組み合わせを書きなさい。

(1) アメリカ合衆国第35代大統領で、ニューフロンティア政策を説き、部分的核実験停止条約を達成し、テキサス州ダラスで暗殺された人物。

(2) インドのカルカッタで貧困層を救済するための献身的な奉仕活動が認められ、ノーベル平和賞を受賞。87歳で死去、ネタジ室内競技場で国葬とされたカトリック修道女。

(3) 日本人として2人目のノーベル文学賞を受賞し、"あいまいな日本の私"の演題で受賞記念講演を行った。

(4) 1972年の第17回ユネスコ総会で採択された条約で、日本では法隆寺地域の仏教建造物、姫路城、古都京都の文化財、その他が文化遺産に、屋久島と白神山地等が自然遺産となっている。

　①トルーマン　　②サンフランシスコ講和条約　　③大江健三郎
　④世界遺産条約　　⑤小林光一　　⑥マザー・テレサ　　⑦川端康成
　⑧マーシャル　　⑨ケネディ

**11** 次の(1)～(5)の文章が示した人物はだれか、（　　）の中に名前を書きなさい。

(1) 幼い頃は神童と呼ばれ、生涯、数々の交響曲や室内楽などを残した。なかでも彼の三大歌劇と評される「フィガロの結婚」、「魔笛」、「ドン・ジョヴァンニ」は今日も上演され続けている。（　　　）

(2) 「直角三角形の直角をはさむ二辺の上に立つ正方形の面積の和は、斜辺の上に立つ正方形の面積に等しい」という定理を発見したギリシアの学者。（　　　）

(3) 1765年に鈴木春信によって、錦絵と呼ばれる浮世絵が完成。次いで、鋭い個性的表現で役者絵などを描いた（　　　）、洋風風景画の手法を取り入れた（　　　）が活躍した。

(4) 現代日本画の大家として名高く、奈良の唐招提寺御影堂の障壁画でもよく知られる。1969年に文化勲章を受章した。

(5) 「魔王」、「野ばら」など数百の歌曲を作曲、歌曲の王といわれた。交響曲第8番「未完成」は、死後10年経ってシューマンにより発見された。

### 解答・解説

**10** (1)－⑨　(2)－⑥　(3)－③　(4)－④

**11** (1) モーツァルト　(2) ピタゴラス　(3) 東洲斎写楽、葛飾北斎

(4) 東山魁夷　(5) シューベルト

# 一般社会の問題

---

**1** 次にあげる文の ｜ ｜ のうち正しいほうを選んで書きなさい。

(1) 世界的な環境保護団体で、本部はオランダのアムステルダムにあるのは ｜グリーンピース　　国際自然保護連合｜。

(2) 絶滅のおそれのある野生動植物の種の国際取引に関する条約は ｜ラムサール条約　　ワシントン条約｜。

**2** ルネサンス以後の近代美術の様式のうち、（イ）〜（ニ）の4つを年代順に正しく並べたものを選びなさい。

（イ）　ロココ　（ロ）　新古典主義　（ハ）　ロマン主義　（ニ）　バロック

　①　（ロ）−（ニ）−（イ）−（ハ）　　　②　（ニ）−（イ）−（ロ）−（ハ）

　③　（ロ）−（イ）−（ハ）−（ニ）　　　④　（ハ）−（ロ）−（ニ）−（イ）

**3** 次の各説明文は何について言っているのか、（　）内にカタカナで書きなさい。

(1) イギリスのビール会社が毎年発行する世界一の記録を集めた本。

（　　　　　　）

(2) 欧州市場で動く米ドル。（　　　　　）

(3) 文民が軍人に優位するという原則。（　　　　　）

(4) （アメリカで）銀行が信用ある一流大企業に、最優遇条件で貸しつける長・短期事業貸出金利のこと。（　　　　）

(5) 精神的、知的労働をする労働者。（　　　　）

---

### 解答・解説

**1** (1) グリーンピース　(2) ワシントン条約　　**2** ②

**3** (1) ギネスブック　(2) ユーロダラー　(3) シビリアンコントロール
(4) プライムレート　(5) ホワイトカラー

**4** 次の文の下線部が正しい場合には〇を、誤っている場合には正しい語句を、（ ）に書きなさい。

(1) わが国の婦人の参政権は第二次大戦後（ ）に実現した。

(2) 20世紀のはじめ、ガンディーらの指導により、インドネシア（ ）では自治を要求する民族運動が展開された。

(3) 日本銀行が市中銀行にお金を貸し出す場合の利子率を「基準割引率および基準貸付利率」（ ）という。

(4) ローマはギリシア（ ）の政治・文化・交通の中心で、観光・文化・宗教都市である。

(5) 内閣（ ）は国権の最高機関であり、唯一の立法機関である。

**5** 次のA群と最も関係の深いものをB群から選び、その記号を（ ）に書きなさい。

［A群］

① 吉田兼好（ ）　② 結核菌の発見（ ）　③ ＩＭＦ（ ）

④ 天保の改革（ ）　⑤ マルクス（ ）　⑥ 秋吉台（ ）

⑦ 志賀直哉（ ）　⑧ ガット（ ）　⑨ 刀狩令（ ）

⑩ モンテスキュー（ ）

［B群］

ⓐ 資本論　ⓑ ユネスコ　ⓒ 水野忠邦

ⓓ 関税と貿易に関する一般協定　ⓔ 徒然草　ⓕ カルスト地形

ⓖ 暗夜行路　ⓗ 徳川吉宗　ⓘ 法の精神　ⓙ 国際通貨基金

ⓚ コッホ　ⓛ 豊臣秀吉　ⓜ 関東ローム層

**6** 次にあげる①～⑤のうち、順序の正しいものを選びなさい。

① 応仁の乱 → 保元の乱 → 承久の乱

② パリ条約 → ベルサイユ条約 → ポーツマス条約

③ 享保の大飢饉 → 天明の大飢饉 → 天保の大飢饉

④ 法然 → 最澄 → 日蓮

⑤ 太平天国の乱 → 辛亥革命 → 日清戦争

**7** 次の（ ）の内に適当な語句を書き入れなさい。

① 生産の三要素（ ）、（ ）、（ ）

② 普通銀行の三大業務（ ）、（ ）、（ ）

③ 国民の三大義務（ ）、（ ）、（ ）

④ 世界の三大宗教（ ）、（ ）、（ ）

⑤ ルネサンスの三大発明（ ）、（ ）、（ ）

8　次の名言は誰の言葉か。下の㋐～㋚から正しいものを選び、（　）の中に記号を入れなさい。

(1)　人間は考える葦である（　　　）

(2)　それでも地球はまわっている（　　　）

(3)　自然に帰れ（　　　）

(4)　悪法もまた法なり（　　　）

(5)　我思う、故に我あり（　　　）

　　㋐　クラーク　　㋑　パスカル　　㋒　デカルト　　　㋓　ルソー

　　㋔　ガリレオ　　㋕　ユリウス・カエサル　　㋖　ソクラテス

　　㋗　グレシャム　㋘　ベンサム　　㋙　シェークスピア　㋚　マルサス

9　フランス革命と関係のないものはどれか、以下のうちから選びなさい。

①　アンシャン・レジーム　　　　②　テニスコートの誓い

③　バスティーユ監獄の襲撃　　　④　モンロー宣言

⑤　テルミドールの反動　　　⑥　ルイ16世　　　⑦　18世紀

10　次の各問いに簡潔に答えなさい。

(NOK)

①　ビタミンB₁を発見した人。　　　　　　　　　（　　　　　　　）

②　「種の起源」を著したイギリスの生物学者。　（　　　　　　　）

③　憲法に従い君主が統治権を行使する政治体制。（　　　　　　　）

④　「冬の旅」の作曲者。　　　　　　　　　　　（　　　　　　　）

⑤　日本でいちばん長い川。　　　　　　　　　　（　　　　　　　）

⑥　大政奉還をした将軍。　　　　　　　　　　　（　　　　　　　）

⑦　ノックオンという用語を使用する競技。　　　（　　　　　　　）

⑧　参議院の被選挙権を得られる年齢。　　　　　（　　　　　　　）

⑨　彫刻「考える人」の作者。　　　　　　　　　（　　　　　　　）

⑩　海岸沿いの水深200mにひろがる海底。　　　（　　　　　　　）

### 解答・解説　→

4　(1)　○　(2)　インド　(3)　○　(4)　イタリア　(5)　国会

5　①－ⓔ　②－ⓚ　③－ⓙ　④－ⓒ　⑤－ⓐ　⑥－ⓕ　⑦－ⓖ　⑧－ⓓ
　　⑨－ⓑ　⑩－ⓘ　　　6　③

7　①　土地　労働　資本　②　預金　貸し付け　為替　③　教育　勤労　納税　④　キリスト教　仏教　イスラム教　⑤　火薬　羅針盤　活版印刷技術

8　(1)－㋑　(2)－㋔　(3)－㋓　(4)－㋖　(5)－㋒　　　9　④

10　①鈴木梅太郎　②ダーウィン　③立憲君主制　④シューベルト　⑤信濃川　⑥徳川慶喜　⑦ラグビー　⑧満30歳　⑨ロダン　⑩大陸棚

**11** 　次は片方に誕生－没年を示した年代の重なる日本史上と世界史上の
人物の組み合わせだが、誤っているのはどれか。

① 聖徳太子（厩戸王）…………… 楊貴妃（719－756）
② 北条政子（1157－1225）……… チンギス・ハン
③ 徳川家康（1542－1616）……… シェークスピア
④ 平賀源内（1728－1779）……… ジョージ・ワシントン

**12** 　次にあげるスポーツについての記述で、正しいのはどれか。

① サッカーのワールドカップは夏季オリンピックの翌年に4年に一度開
かれる。
② 夏季オリンピック大会は戦争で開催されなかった第6回ベルリン大会
と第12回東京大会、第13回ロンドン大会も回数はそのまま数える。
③ 冬季オリンピックは、1924年にシャモニー・モンブランで第1回大会
が開催され、日本では1998年に長野で開かれただけである。
④ 世界のメジャーゴルフトーナメントの中で4大選手権大会といわれて
いるのは全英オープン、全米オープン、マスターズ、全米シニアである。
⑤ 世界で最も権威あるテニストーナメントはデビスカップで、優勝カッ
プはイギリス王室から手渡されるのが伝統である。

**13** 　次に示した略語の正式名称を、（ ）に書きなさい。

① 高 野 連（ ） ② 独 禁 法（ ） ③ 食 管 会 計（ ）
④ 体 協（ ） ⑤ 日 弁 連（ ） ⑥ 国 体（ ）
⑦ 地 婦 連（ ） ⑧ 日 教 組（ ） ⑨ 投 信（ ）
⑩ 中 教 審（ ） ⑪ 日 商（ ） ⑫ 重 文（ ）
⑬ 経 団 連（ ） ⑭ 税 調（ ）

### 解答・解説

**11** ① 〈解説〉聖徳太子（574-622）は飛鳥時代。楊貴妃は奈良時代。

**12** ② 〈解説〉第6回ベルリン大会（1916年）は第一次世界大戦で、第12
回東京大会（1940年）と、第13回ロンドン大会（1944年）は第二次世界大戦で中
止となった。①ワールドカップは夏季オリンピックの翌年に限らない。③日本で
は札幌大会（第11回・1972年）と2度開催。④全米シニアではなく全米プロ。
⑤デビスカップではなくウィンブルドン選手権（第1回は1877年）。

**13** ①日本高等学校野球連盟 ②独占禁止法 ③食糧管理特別会計 ④日本体育
協会 ⑤日本弁護士連合会 ⑥国民体育大会 ⑦全国地域婦人団体連絡協議会
⑧日本教職員組合 ⑨投資信託 ⑩中央教育審議会 ⑪日本商工会議所 ⑫重要
文化財 ⑬日本経済団体連合会 ⑭税制調査会

# 社 会 要点のまとめ

## ●歴史・日本史

### (1) 古代国家　　　　　　　　○古墳の特色

| 年代 | 3世紀末～4世紀中頃 | 4世紀中頃～5世紀末 | 5世紀末～6世紀初 |
|---|---|---|---|
| 分布 | 畿内～瀬戸内地方 | 全国的に分布 | 山間部にも増加 |
| 種類 | 円墳・方墳など | 前方後円墳 | 円墳・群集墳 |
| 例 | 箸墓古墳<br>和泉黄金塚古墳 | 大仙陵古墳（仁徳陵）<br>誉田御廟山古墳 | 江田船山古墳<br>稲荷山古墳 |

　ヤマト王権の成立…4世紀中頃。　氏姓制度…豪族は氏と呼ばれる血縁集団を形成。氏上のもとに統合。朝廷は有力豪族に臣、連、直、造などの姓を与え政治に参加させた。　聖徳太子（厩戸王）らの政治…冠位十二階、十七条憲法の制定、法隆寺の建立など。天皇を中心とした中央集権国家の建設を目指す。

　大化の改新…645年以降、中大兄皇子、中臣鎌足が蘇我蝦夷・入鹿を倒したクーデターの後に行われた公地公民制、班田収授法などを定めた一連の政治改革。　律令政治…701年、唐の律令を基にわが国独自の慣例などをもりこんだ大宝律令を制定。律令国家が形成される。

### (2) 平安時代

　藤原氏による摂関政治…天皇と姻戚関係を結び、天皇が幼少のときは摂政として、成人してからは関白として政治の実権を握る。道長、頼通のときが全盛期。　院政…摂関政治の衰えとともに白河上皇によって始められる。武士のおこり…地方政治の乱れとともに、荘園の荘官や名主たちが自衛のために武装するようになる。有力武士の出現、皇室の流れをくむ源氏（清和天皇）、平氏（桓武天皇）。　平清盛の政治…保元の乱（1156年）、平治の乱（1159年）を経て、政治の実権を握る。武士として初めて太政大臣になる。日宋貿易を行う。平氏は壇ノ浦の合戦で滅亡する。

### (3) 中世

　源頼朝…1185年全国に守護・地頭を置く。1192年征夷大将軍となる。中央には政所、問注所、侍所。源氏は次の頼家、実朝の三代で滅ぶ。　北条氏による執権政治…1232年北条泰時による御成敗式目の制定。時宗のとき、二度にわたって蒙古の襲来。元寇が起こる。→鎌倉幕府の衰え。　建武の新政…後醍醐天皇の倒幕計画により北条氏が滅ぶ。1333年鎌倉時代の終焉。新政は約3年で終わり足利尊氏が北朝を建てる。→室町幕府成立。

●鎌倉幕府の職制

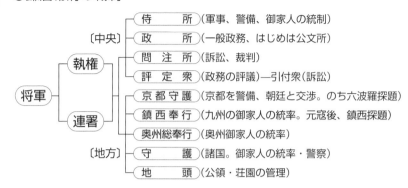

室町時代…後醍醐天皇は吉野にのがれ南朝を建てる。→南北朝時代に入る。足利義満のとき南北朝合一。明と勘合貿易を行う。　応仁の乱…将軍の跡継ぎ問題に大名の勢力争いがからんで1467年から11年にわたって続く。

●室町幕府の職制

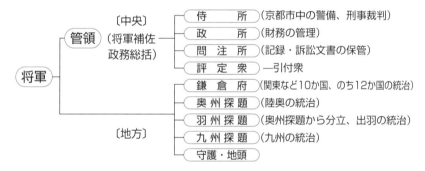

戦国時代…戦国大名の出現。下剋上の時代。今川、武田、上杉、北条などの有力大名の中から織田信長が全国統一の先陣を切る。

(4) 近世──全国統一への歩み

　織田信長…桶狭間の戦いで今川義元を破る。足利義昭を追放して、室町幕府を滅ぼし全国統一への道を開くが、本能寺の変で明智光秀に討たれる。

　豊臣秀吉…小田原の北条氏を滅ぼし、全国統一（1590年）。刀狩、検地などの政策を行う。　徳川家康…関ヶ原の戦いで石田三成を破り江戸幕府を開く（1603年）。

(5) 江戸時代

　三代将軍徳川家光の頃までに江戸幕府の政治のしくみ、幕藩体制が整う。

社会

## ●江戸幕府の職制

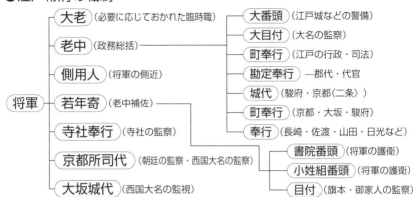

参勤交代、武家諸法度などで大名統制をはかる。　鎖国政策…清・朝鮮・オランダ以外との外国との国交を断つ。　農民支配…慶安の触書や五人組制などで厳しく統制。　封建社会の衰え…百姓一揆や打ちこわしの増加。幕府は享保の改革（将軍徳川吉宗）、寛政の改革（老中松平定信）、天保の改革（老中水野忠邦）などを試みるが、崩れゆく封建体制を立て直すことはできなかった。　開国と幕府の滅亡…1858年大老井伊直弼は独断で日米修好通商条約を結ぶ（不平等条約）。井伊直弼は桜田門外の変で暗殺され、15代将軍徳川慶喜は朝廷に政権を返還した（大政奉還）。

⑹　近・現代

## ●政党の結成

| 政党名 | 年代 | 人名 | 特色 | 主張・政策 |
|---|---|---|---|---|
| 自　由　党 | 1881 | 板垣退助<br>植木枝盛<br>後藤象二郎 | フランスの影響<br>急進的<br>自由主義的 | 主権在民<br>一院制議会<br>普通選挙主張 |
| 立憲改進党 | 1882 | 大隈重信<br>犬養　毅 | イギリスの影響<br>穏健的 | 二院制議会<br>制限選挙主張 |
| 立憲帝政党 | 1882 | 福地源一郎 | 政府の御用政党 | 主権在君 |

明治維新…五箇条の(御)誓文で新政府の基本方針を示す。版籍奉還、廃藩置県。四民平等、徴兵令、学制の発布。西洋文化を積極的に取り入れる。→文明開化、富国強兵政策。　自由民権運動…1889年大日本帝国（明治）憲法の発布、1890年第一回衆議院議員総選挙。　日清・日露戦争の勝利…不平等条約の撤廃。　第一次世界大戦…日本は日英同盟を理由に参戦、好景気となる。→その一方で物価高騰を招く→米騒動　ファシズムの勃興…ドイツのポーランド侵攻を契機に、第二次世界大戦に突入。日本は「大東亜共栄圏」を提唱

し、東南アジアへ侵出 →アメリカとの対立を深め、日本の真珠湾奇襲をきっかけに太平洋戦争へ突入。

## ●歴史・世界史

(1) 原始社会

直立猿人、北京原人、道具の使用、直立歩行、火・言語の使用。

(2) 古代社会

①古代文明…aエジプト文明…紀元前3000年頃、ナイル川流域、象形文字。bメソポタミア文明…紀元前3000年頃、チグリス・ユーフラテス川。楔形文字。　cインダス文明…紀元前3000年頃、インダス川流域。モヘンジョ・ダロの遺跡。　d中国（黄河）文明…黄河流域、甲骨文字。　ギリシア世界　エーゲ文明…紀元前2000年頃。都市国家＝ポリスの出現（アテネ、スパルタ）。　ローマ世界　ローマ帝国の出現、帝政の開始…紀元前27年皇帝オクタウィアヌスによって始められる。紀元前4年頃キリストの誕生。　4世紀末頃ゲルマン民族の大移動…ローマ帝国の東西分裂、フランク王国の勃興。

②中国…秦の始皇帝が紀元前221年中央集権体制を樹立。郡県制度、万里の長城。　漢…武帝のときに全盛期、シルクロードによって東西文化の交流がさかんになる。ペルシア、ローマとも交易。　隋…科挙制度の開始。　唐…律令体制の確立、均田制。

③イスラム世界…マホメットの出現とイスラム教の成立、8世紀には三大陸にまたがる大帝国に発展→イスラム文化圏の形成。

(3) 中世社会

①フランク王国の三分…現在のドイツ、フランス、イタリアの起源。

②封建社会の成立…a耕作者としての農奴と専門的戦士としての諸侯・騎士との間の支配関係→b荘園制度、専門的戦士の間の相互の主従関係→封建的な2つの支配制度から成立したのが封建社会。

③十字軍の遠征…ヨーロッパのキリスト教徒がトルコ人に占領された聖地エルサレムの奪回のために、11～13世紀にかけて7回にわたって行った。→結果、商業・交易の発達と都市の成長。

(4) 近世社会

①ルネサンス…14世紀にイタリアで始まり、ヨーロッパ各国へ広がる。学芸などの人間主義への回帰、ルネサンスの三大発明、火薬・羅針盤・活版印刷技術。

②宗教改革…1517年ドイツでルター、1541年スイスでカルヴァン→カトリック（旧教）とプロテスタント（新教）に分裂。

## ●イタリア・ルネサンス

| 文　学 | ダンテ「神曲」、ボッカチオ「デカメロン」 |
|---|---|
| 美　術 | レオナルド・ダ・ヴィンチ「モナ・リザ」「最後の晩餐」<br>ミケランジェロ「ダヴィデ像」「天地創造」<br>ラファエロ「聖母子像」、ボッティチェリ「ヴィーナスの誕生」 |
| 自然科学 | ガリレオ・ガリレイ→地動説の証明 |

③絶対主義国家の成立…重商主義・富国強兵を柱にした、国王による専制政治。イギリス、フランス、プロシアなど。

④市民革命…aイギリス…1649年ピューリタン革命→クロムウェルらが国王を処刑、共和制をしく。1688年名誉革命→王政復古により専制政治の復活。国王を追放、オランダから新国王を招き、権利の章典を認めさせる。→立憲政治の基礎を確立。　bアメリカ独立戦争…イギリス領だった13の植民地が本国の圧政に対抗し戦争を起こす。1776年独立宣言を発表。　cフランス革命…ルイ16世の時代、財政の行き詰まりから貧困にあえぐ人民が蜂起、1789年バスティーユ監獄を襲撃、それをきっかけに革命が勃発。

⑤産業革命…18世紀中頃紡績機の発明、ワットによる蒸気機関の改良などで機械を使った大量生産が可能になる。イギリスからヨーロッパ諸国に広まった。→資本主義社会へと移り変わる。

(5)　現代社会

資本主義社会の発達により列強諸国は軍事力を強め植民地政策を行うようになる。

①第一次世界大戦…1882年ドイツ、オーストリア、イタリアの三国同盟の成立。1907年イギリス、フランス、ロシアによる三国協商の成立。2つの勢力が衝突→第一次世界大戦の勃発。パリ講和会議でドイツと連合国の間でヴェルサイユ条約が締結される。ウィルソンの提唱により国際連盟が成立(1920年)。

②社会主義国の成立…帝政の続いていたロシアで、プロレタリアートが蜂起し革命が起こる。レーニンの指導のもと1922年ソビエト社会主義共和国連邦が成立。

③ファシズムの台頭と第二次世界大戦…1929年の世界恐慌後、世界経済が混迷の様相を呈する中、ファシズムが台頭してくる。イタリアのファシスト党（ムッソリーニ）、ドイツのナチス（ヒトラー）。ドイツのポーランド侵攻をきっかけに第二次世界大戦へ突入。1945年のドイツ降伏。同年の日本の降伏で終結。

④**大戦後の世界**…1945 年国際連合の成立。世界は米ソ両国を中心とした資本主義陣営と社会主義陣営に分かれ対立→「**冷戦**」。その後も中東戦争、朝鮮戦争、ベトナム戦争など、国際紛争が続く。1989 年のベルリンの壁崩壊に象徴されるように社会主義国が終焉を迎え、1991 年のソ連の解体を契機に冷戦が一時的に終結。だが現在は西欧諸国とロシアの対立、米中対立等が激化。

## ●中国の王朝史

| 王朝名 | 建国者 | 特　徴 | 主な農民の反乱 |
|---|---|---|---|
| 殷 | 湯王 | 甲骨文字・青銅器 | |
| 周 | 武王 | 封建制度 | |
| 春秋・戦国 | | 諸子百家の活躍 | |
| 秦 | 政（始皇帝） | 万里の長城 | 陳勝・呉広の乱 |
| 前漢 | 劉邦（高祖） | 武帝の政治　シルクロード | |
| 新 | 王莽 | | 赤眉の乱 |
| 後漢 | 劉秀（光武帝） | | 黄巾の乱 |
| 三国 | 魏＝曹丕<br>呉＝孫権<br>蜀＝劉備 | 通称『魏志倭人伝』に、日本の卑弥呼登場 | |
| 西晋 | 司馬炎 | 三国を統一 | |
| | | | |
| 隋 | 楊堅（文帝） | 大運河 | |
| 唐 | 李淵（高祖） | 律令体制 | 黄巣の乱 |
| 五代十国 | | | |
| 北宋 | 趙匡胤（太祖） | 科挙発達 | |
| 南宋 | 高宗 | 朱子学 | |
| 元 | フビライ（世祖） | モンゴル人第一主義 | 紅巾の乱 |
| 明 | 朱元璋（太祖洪武帝） | 君主独裁制 | 李自成の乱 |
| 清 | ヌルハチ（太祖） | 康熙帝、乾隆帝の時代が全盛 | 太平天国の乱、義和団事件 |

## ●地　理

(1)　地理学

ローマ時代、ストラボンが「地理書」17 巻を著す。近代地理学では、自然地理学の祖とされるフンボルト、人文地理学の祖とされるリッターがいる。その後ラッツェルが 2 人の考えを継承し環境決定論を唱える。→後にブラーシュは環境決定論を修正、環境可能論を提唱。

(2)　世界の農業

①ヨーロッパ…経営規模は中規模。混合農業、酪農など有畜農業が特色。

その他園芸農業、地中海式農業など。自然や環境を生かした農業。生産性は高い。

②アメリカ合衆国…大規模な企業的農牧業。労働生産性が高い。適地適作。

③アジアの農牧業…農家１戸あたりの経営規模が小さく、家族労働が中心の集約農業を行う。土地生産性は低いが労働生産性は高い。

④プランテーション…先進諸国が資本や技術を提供し、現地の安い労働力を使い、単一栽培を行う。東南アジア、アフリカなどの国々で見られる。

(3)　世界の漁場

**●世界の主な漁場**

(4)　世界の鉱工業

①世界の鉱産資源…原油：原油産出量世界上位５か国→米国、サウジアラビア、ロシア、カナダ、イラクの順（2022年）。

**●世界の原油産地（2022年）**

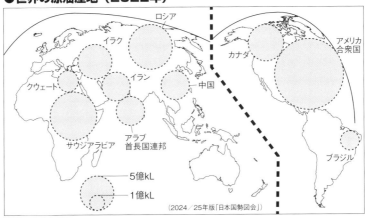

(2024／25年版「日本国勢図会」)

　日本の原油の主な輸入先＝サウジアラビア、アラブ首長国連邦、クウェート、カタール（2023年）。代表的油田：サウジアラビアのガワール油田、クウェートのブルガン油田など。原油確認埋蔵量上位＝ベネズエラ、サウジアラビア、カナダ（1位、3位は原油以外も含む／2020年12月31日現在）。日本の液化天然ガスの主な輸入先＝オーストラリア、マレーシア、ロシア、米国（2023年）。天然ガスの埋蔵量上位＝ロシア、イラン、カタール、トルクメニスタン（2020年12月31日現在）。日本の石炭の主な輸入先＝オーストラリア、インドネシア、カナダ、米国、ロシア（2023年）。石炭の産出高上位（褐炭含む）＝中国、インド、インドネシア、米国、オーストラリア（2022年）。日本の鉄鉱石の主な輸入先＝オーストラリア、ブラジル、カナダ、南アフリカ共和国（2022年）。鉄鉱石の生産高上位＝オーストラリア、ブラジル、中国、インド（2021年）。

②世界の工業地域…20世紀初頭、鉄鉱石などの豊富な資源と水運の便から五大湖周辺で工業が発展。デトロイトを中心に自動車産業が発達したが、日本の自動車生産に押され不振に。1970年代にはシリコンバレーにコンピュータ関連の企業が集結、南部のフロリダ、テキサス州は航空宇宙産業が発達。アジア：世界の縫製工場と呼ばれるバングラデシュ。低コストと豊富な労働力から世界中のアパレル産業が進出。タイは自動車部品の生産拠点。中国・長江河口の「長江デルタ」は上海を中心に近年、工業地帯として大発展した。

⑸　世界の貿易

　1995年に世界貿易機関（WTO）が発足。2001年には、新多角的貿易交渉（新ラウンド）が開始。一方で欧州連合（EU）、北米自由貿易協定（NAFTA）など、地域貿易圏を形成する動きも活発化。他方、中国の一帯一路、TPP（環太平洋経済連携協定）、アジア太平洋自由貿易圏（FTAAP）に注目が集まる。

●日本の主要輸入品の輸入国・地域 （数字は％、小数点以下四捨五入）(2022年)

| 液化石油ガス | 米国62・カナダ15・オーストラリア12 |
|---|---|
| 液化天然ガス | オーストラリア43・マレーシア15・ロシア8・米国7 |
| 原　　油 | サウジアラビア40・アラブ首長国連邦38・クウェート8 |
| 鉄　鉱　石 | オーストラリア53・ブラジル32・カナダ7 |
| 小　　麦 | 米国42・カナダ37・オーストラリア22 |
| 魚　介　類 | 中国18・チリ10・米国9・ロシア8・ベトナム8 |
| 肉　　類 | 米国27・タイ15・オーストラリア12・カナダ10 |
| 自　動　車 | ドイツ33・米国8・イタリア7・イギリス7 |
| 衣　　類 | 中国54・ベトナム16・バングラデシュ5 |
| コンピュータ | 中国74・タイ4・シンガポール4・台湾4 |
| 精　密　機　器 | 米国19・中国19・スイス14 |
| 家　　具 | 中国61・ベトナム14・台湾4・タイ3 |

日本関税協会「外国貿易概況」及び財務省「貿易統計」による(2024／25年版「日本国勢図会」)より抜粋

# ●政治・一般社会

(1) 今日の選挙の原則

　　普通選挙、平等選挙、秘密選挙、直接選挙。

(2) 選挙区制

　　小選挙区制…1選挙区から1名の議員を選出する選挙方法。長所／選挙費用が安くあがる・候補者と有権者の関係が密接になる。短所／大政党に有利・不正がおこりやすい・死票が多くなる。

　　大選挙区制…1選挙区から2名以上の議員を選出する選挙方法。長所／少数政党も候補者が出せる・死票が少ない。短所／選挙費用がかさむ・有権者と候補者の関係が希薄になる。

　　比例代表制…選挙で得た各政党の得票数に応じて議席数を割りあてる制度。長所／有権者の意思を議会に反映できる。短所／小党分立による政局の不安定化を招く。

　　小選挙区比例代表並立制…小選挙区と比例代表の2本立ての制度。有権者は小選挙区に1票（候補者名）→（得票数の多い候補者が当選）、比例代表に1票（政党名）→（全国11ブロック単位ごとに各政党の得票数に応じ議席を配分）の計2票を投じる。

(3) 日本国憲法の三大原則

　　国民主権、基本的人権の尊重、平和主義（第9条）。

基本的人権の種類

　　①自由権…思想・良心の自由（第19条）、信教の自由（第20条）、学問の自由（第23条）、職業選択の自由（第22条）など、財産権の保障（第29条）、奴隷的拘束および苦役からの自由（第18条）。　②平等権…法の下の平等（第14条）。③参政権。　④社会権…生存権（第25条）、教育を受ける権利（第26条）、勤労の権利及び義務（第27条）。　⑤新しい権利…知る権利、プライバシー権、環境権　基本的人権の制限…「公共の福祉」によって制限される。

(4) 政治機構

　　三権分立…国会（立法）、内閣（行政）、裁判所（司法）が、互いに牽制し合い、権力の一極集中を防ぐ。国会…国権の最高機関、国の唯一の立法機関、衆議院・参議院の二院制。

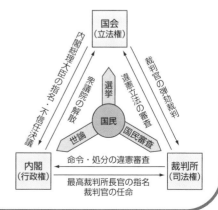

⑸　国会の機能

　憲法改正の発議、立法権、条約締結の承認、内閣総理大臣の指名、弾劾裁判所の設置など。　　衆議院と参議院の二院制　衆議院の優先…法律案・予算の議決など。

　国会の種類…常会（通常国会）、臨時会（臨時国会）、特別会（特別国会）。

⑹　内閣の権限

　天皇の国事行為に関する助言と承認、条約の締結、予算の作成、政令の制定、国会の臨時会の召集、最高裁判所長官の指名。　　国務大臣…国務大臣は文民であること、その過半数は国会議員の中から選ばなくてはならないことが定められている。　　議院内閣制…行政府は立法府の信任に基づき成立し、行政府は立法府の解散権を有することによって両者の協働と抑制とを維持する統治制度。

⑺　裁判所

　すべて裁判官はその良心に従い独立してその職権を行い、日本国憲法および法律にのみ拘束される。違憲立法審査権をもつ。わが国の裁判は三審制。

⑻　地方自治

　①地方自治…戦後の地方自治は、日本国憲法や地方自治法によって保障されている。

　②地方公共団体：普通地方公共団体…都道府県・市町村。

　　　特別地方公共団体…東京都23区など。

　③地方公共団体のしくみ：a 地方議会…都道府県議会、市町村議会。議員の被選挙権は満25歳以上、任期は4年。b 執行機関…首長＝知事（満30歳以上）、市町村長（満25歳以上）。補助機関＝副知事（助役）、出納長（収入役）。

　④住民の権利…直接請求権：条例の制定・改廃、監査請求＝有権者の50分の1以上。　解職請求、解散請求：有権者の3分の1以上。

⑼　国際連合のしくみ

　総会…最高議決機関。　安全保障理事会…アメリカ、ロシア、イギリス、フランス、中国の5常任理事国と10の非常任理事国で構成。…国際平和と安全の維持をはかることを任務とする。侵略国に対して軍事的制裁を加えることができる。

　国際連合の専門機関…ＩＬＯ：国際労働機関　ＦＡＯ：国連食糧農業機関　ＵＮＥＳＣＯ：国連教育科学文化機関　ＷＨＯ：世界保健機関　ＩＭＦ：国際通貨基金　ＩＢＲＤ：国際復興開発銀行　ＷＭＯ：世界気象機関　ＩＡＥＡ：国際原子力機関

社会

その他の特別機関…ＵＮＩＣＥＦ：国連児童基金

## ●経済・労働

(1) 経済主体

　自己の判断で経済活動を行うもの。家計、企業、政府の３つは消費、生産、分配という経済循環で深く結びついている。

(2) 国民全体の経済活動

　国内総生産（ＧＤＰ）＝一定期間に国内領土に居住する経済主体（外国企業子会社、日本企業海外支店を除く）が生み出した、総付加価値額のこと。

　国民総所得（ＧＮＩ）＝国民経済計算の指標。ＧＤＰを所得からとらえる。

　国内総支出（ＧＤＥ）＝ＧＤＰを支出（需要）からとらえたもの。

(3) 通貨制度と価格の種類

　金本位制度。他に管理通貨制度→国または中央銀行（日本の場合日本銀行）が経済状況を見て、貨幣の発行額を調節する。価格の種類：自由競争市場での、需要と供給の関係で価格が決定する＝市場価格。他に、公共料金など。

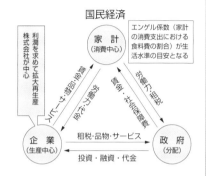

国民経済

エンゲル係数（家計の消費支出における食料費の割合）が生活水準の目安となる

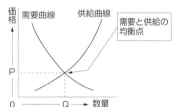

需要と供給の関係

(4) 現代の企業

　公企業と私企業の大別。資本主義経済では会社企業が中心。会社企業の種類：株式会社、有限会社、合名会社、合資会社、合同会社。企業の独占形態：カルテル＝独立した同業種の企業が価格や生産・販売地域などで協定を結ぶこと。トラスト＝同業種の企業が独立性を廃棄し合同、１つの巨大企業となること。コンツェルン＝多業種の企業が資本面で結合すること。→「独占禁止法」により上記の企業の独占形態を制限し独占の禁止をしている。

(5) 金融

　①金融機関の種類…中央銀行（わが国では日本銀行）＝通貨の発行、金融政策を行う。全国銀行＝普通銀行、信託銀行、長期信用銀行がある。

　②日本銀行の三大業務…ａ発券銀行、ｂ政府の銀行、ｃ銀行の銀行。

　③金融政策…ａ金利政策＝基準割引率および基準貸付利率、ｂ公開市場操作、ｃ支払準備率操作など。

⑹ 財　政

①歳入と歳出…財政の種類＝国家財政、地方財政。

②財政支出…国債費、地方財政関係費、社会保障関係費、公共事業関係費、教育および科学振興費、防衛関係費など（戦前は防衛費が大きな割合を占め、戦後は社会保障関係費、地方財政関係費が大きな割合を占める）。

③財政投融資…財政政策＝景気の調整と所得の再分配。

④財政収入…租税と印紙収入→租税の種類＝直接税（所得税、法人税、相続税）、間接税（消費税、酒税、揮発油税、関税など）。

⑺ 労　働

①労働三権（憲法第28条）…団結権、団体交渉権、団体行動権。

②労働三法…労働組合法、労働関係調整法、労働基準法。

⑻ 社会保障制度

①社会保障制度の発達：古くは1601年のエリザベス救貧法にその端緒が見られる。19世紀後半にドイツが世界初の社会保険を実施。

②わが国の社会保障制度：a社会保険（医療保険、年金保険、雇用保険など）、b公的扶助（生活保護など）、c社会福祉（障害者福祉、老人福祉など）、d公衆衛生。

⑼ 国際経済

①国際収支…a経常収支　b資本移転等収支　c金融収支。

②国際通貨…国際的に信用をもつ通貨：米国のドル。

③為替相場…a固定相場制　b変動相場制。

## ●文化・思想

文化史　Ⅰ　西　洋

⑴ ギリシア文化

アレクサンダー大王の東方遠征によりギリシア文化が東方の要素と融合し、ヘレニズム文化が生まれる。　文学…ホメロス（詩人）の「オデュッセイア」など。　歴史学…ヘロドトスの「歴史」など。　美術・建築…ドーリア式→イオニア式→コリント式へと発展。パルテノン神殿など。

⑵ ルネサンス文化

文学…ダンテの「神曲」、ボッカチオの「デカメロン」、チョーサーの「カンタベリー物語」など。　美術・彫刻…レオナルド・ダ・ヴィンチの「モナ・リザ」、「最後の晩餐」、ラファエロの「聖母子像」、ミケランジェロの「ダヴィデ像」など。

(3) 古典主義

　**文学**…シラー「ヴィルヘルム・テル」、ゲーテ「ファウスト」など。

　**美術**…フランドル派の代表ルーベンス、「夜警」のレンブラントなど。

　**音楽**…バロックからクラシックへ、「ブランデンブルク協奏曲」などのバッハ、「メサイア」のヘンデル、「フィガロの結婚」などのオペラや交響曲「ジュピター」、数々の協奏曲のモーツァルト、交響曲1〜9番のベートーベン。その他ハイドンなど。

(4) ロマン主義

　**文学**…グリム兄弟「グリム童話」、ユーゴー「レ・ミゼラブル」、ホイットマン「草の葉」など。　**美術**…ドラクロワ「アルジェの女たち」、ゴヤ「裸のマハ」など。　**音楽**…シューベルト、ワーグナー「タンホイザー」、ショパンのピアノ曲など。

(5) 写実主義と自然主義

　**文学**…スタンダール「赤と黒」、モーパッサン「女の一生」、ドストエフスキー「罪と罰」、トルストイ「戦争と平和」など。　**美術**…写実主義－クールベ、自然主義－ミレー、印象主義（派）－モネ、ルノアール、後期印象主義（派）－セザンヌ、ゴッホ、ゴーガン。

(6) 現　代（20世紀）

　**文学**…ロマン・ロラン「ジャン・クリストフ」、アンドレ・ジッド「狭き門」、サルトル「嘔吐」、D・H・ロレンス「チャタレイ夫人の恋人」、ヘミングウェー「日はまた昇る」、魯迅「狂人日記」など。　**美術**…表現主義－カンディンスキー、超現実主義－ダリ、野獣派－マティス、立体派－ピカソなど。　**音楽**…ドビュッシー「牧神の午後への前奏曲」、ラヴェル「ダフニスとクロエ」、ストラビンスキー「火の鳥」、ジョージ・ガーシュウィン「ラプソディ・イン・ブルー」。

　●思想家

| タレース | 西洋哲学の始祖。物質的なものを始原とし、「万物の根源は水である」とした。ギリシアの七賢人の1人。 |
| --- | --- |
| ヘラクレイトス | 事物の生成に着目し、根元的物質として火を挙げた。「万物は流転する」と説いた。 |
| ソクラテス | 「汝自身を知れ」で有名。無知を自覚する「無知の知」を思想の出発点とした。「悪法もまた法なり」 |
| アリストテレス | あらゆる学問の祖とされる。「人間はポリス的動物である」 |

| モンテーニュ | フランスのモラリスト。<br>「私は何を知るか」と、懐疑的立場に立った。 |
| --- | --- |
| パスカル | 「人間は考える葦である」は有名。<br>人間の矛盾を説明できるのは、キリスト教であるとした。 |
| デカルト | 「我思う、故に我あり」で有名。<br>方法的懐疑により、一切を疑ったうえで、上記の根本原理を得た。 |
| ルソー | 「自然に帰れ」と説いた。<br>自然状態を自由・平等・平和な状態とした。 |
| ヘーゲル | 弁証法の提唱者。<br>世界を絶対者の自己展開ととらえた。 |
| ニーチェ | 「神は死んだ」は有名。<br>既成の価値観を否定。 |

Ⅱ 東 洋（中国・日本）

(1) 中 国

　古代…中国（黄河）文明。　漢・六朝時代の文化…司馬遷「史記」、班固「漢書」、陶淵明「帰去来辞」、顧愷之「女史箴図」など。　隋・唐代の文化…唐詩の李白、杜甫など。　宋・元の文化…司馬光「資治通鑑」、黄公望、王蒙ら山水画を中心とした文人画家の活躍。火薬、羅針盤、木版印刷術の発明など。明・清代の文化…「永楽大典」、「四書大全」、清の康熙帝の「康熙字典」、小説「水滸伝」、「西遊記」、「金瓶梅」、美術は南宋画の発達（董其昌など）。

(2) 日 本

　大和・奈良時代の文化…飛鳥文化－法隆寺など。　白鳳文化－薬師寺東塔など。　平安時代の文化（国風文化の形成と発展）…仮名文字の発達、「古今和歌集」、紫式部「源氏物語」、清少納言「枕草子」、「今昔物語」、平等院鳳凰堂、空海の真言宗、最澄の天台宗など。　鎌倉時代の文化…慈円「愚管抄」、鴨長明「方丈記」、「平家物語」に代表される軍記物。　鎌倉新仏教－法然の浄土宗、親鸞の浄土真宗（悪人正機説）、日蓮の日蓮宗（法華宗）、栄西の臨済宗、道元の曹洞宗。　建築－円覚寺舎利殿、金剛力士像（運慶、快慶）。　室町時代の文化…北山文化－鹿苑寺金閣、観阿弥、世阿弥による能。狂言。東山文化－禅宗の影響＝「わび、さび」、慈照寺銀閣、書院造と枯山水、雪舟による水墨画の大成。　安土・桃山時代の文化…大坂城などに見られる壮大な天守閣や城郭建築に特色。狩野永徳による障壁画。　江戸時代の文化…元禄文化－松尾芭蕉の「おくのほそ道」、井原西鶴の「世間胸算用」、近松門左衛門の「曽根崎心中」。尾形光琳の装飾画など。　化政文化－俳諧では与謝蕪村、小林一茶、和歌の良寛。川柳・狂歌の流行。喜多川歌麿、写楽らの浮世絵。賀茂真淵、本居宣長（「古事記伝」）らによる国学の発達。杉田玄白・

前野良沢らによる「解体新書」＝蘭学の発達。　明治・大正時代の文化…美術・彫刻－洋画の黒田清輝、日本画の横山大観、彫刻の高村光雲　音楽－滝廉太郎　演劇－自由劇場の小山内薫など。

思想史　Ⅰ　西　洋

⑴　古　代

　ソクラテス…アテネの哲学者。真理の相対性に対して、客観的な真理のあることを説く。「無知の知」。　プラトン…ソクラテスの弟子。「善のイデア」を知ることに人間の理想を見いだす。　アリストテレス…プラトンの創設した「アカデメイア」の生徒。現実主義。「人間はポリス的動物である」。

⑵　中　世・近　世

　アウグスティヌス…カトリック教会の教義の確立に大きく貢献。有名な著書に「告白録」がある。地上の人間が救われるためには教会の仲立ちが必要であると説いた。　トマス・アクィナス…中世キリスト教の理論的柱となったスコラ哲学を形式、内容的に大成した。

　ルネサンス期の哲学…人文主義運動の中で、それまでと違った新しい道徳観、宗教観が生まれる。例：ルター、カルヴァンによる宗教改革。

⑶　大陸合理主義

　デカルト…合理主義の祖といわれる。数学的な方法によって、諸学問の統一的展開を図る。二元論を唱える。著書「方法序説」など。「我思う、故に我あり」は有名な言葉である。　スピノザ…デカルトの思想を受け継ぎ、さらに発展させた。著書「エティカ」。　ライプニッツ…大陸合理主義を完成。「単子論」によって「予定調和」説を説く。　パスカル…人間の理性は相対的なものであると主張。「人間は考える葦である」の言葉が有名。著書「パンセ」。

⑷　英国経験主義

　ベーコン…真理に近づくためには人間のもつ偏見＝「四つのイドラ（偶像）」をとりさらなければならないと主張。著書「ノヴム・オルガヌム」の中の「知は力なり」という言葉が有名。　ホッブズ…著書「リヴァイアサン」の中で、人間が個々の欲望を満足させようとすれば「万人の万人に対する戦い」になってしまうと主張。そのために国家の必要性を説き、社会契約説を唱える。　ロック…自由主義の父と呼ばれる。国家権力は絶対君主制の中で決定されるものではなく、国民の自由な契約に基づくとする、国民主権を唱える。

⑸ 近代哲学

　ルソー…国家をはじめ恣意的な機構の成立により、全ての不合理が生まれたとする。著書「社会契約論」の中で主権在民や人民の自由平等などを説く。「自然に帰れ」という言葉が有名。　カント…啓蒙思想の完成者。著書「純粋理性批判」など。　ヘーゲル…弁証法による思想体系。ドイツ観念論の完成者。

⑹ 功利主義

　ベンサム…「最大多数の最大幸福」が最高の善であると唱える。

　Ｊ・Ｓ・ミル…ベンサムの功利主義を修正、快楽の質を説く。「満足したブタになるより、不満足な人間となるほうが良い…」。

⑺ 実存主義

　キルケゴール…キリスト教的立場から実存主義を説く。人間の最大の不幸は神への絶望であると説く。著書に「死に至る病」がある。

⑻ 科学的社会主義

　マルクス…弁証法的唯物論を提唱。人間を資本主義社会という歴史的な社会現象の中でとらえる。資本主義という経済構造によって、資本階級と労働者階級が生じるとする。その思想はのちのロシア革命などの思想的支柱となった。著書「資本論」、エンゲルスとの共著である「共産党宣言」がある。

⑼ 現　代

　実存哲学…ハイデッガー、ヤスパース、サルトルなど。ドイツを中心として形成され展開された。　プラグマティズム（実用主義）…アメリカで生まれた哲学思想。パースに始まり、デューイによって大成。

Ⅱ　東　洋（中国・日本）

⑴ 中　国

　仏教…ブッダ（シャカ）。達磨（だるま）がインドより伝来、大成する。　儒教…孔子。
孟子…性善説。　荀子…性悪説。　老子・荘子…無為自然の道。
朱子…宋学（儒学の一種）。　王陽明…知行合一説（ちこうごういつ）。

⑵ 日　本（江戸時代）

　林羅山…朱子学。中江藤樹…陽明学。伊藤仁斎…古義学。
安藤昌益…自然真営道。

# 理科の常識問題

## 傾向と対策

　あなたがどんな企業を、どの分野を目指しているかによって違いはありますが、事務系の試験では理科の出題は少ないようです。しかし、技術系は、一般職でも基礎的な知識として生物や物理は出題されます。出題率が低いといって勉強をおろそかにしてはいけません。数学と同じように、理科も基礎的な部分をしっかりと覚えておかなければ、つまずいてしまいます。復習と練習問題を数多くこなすことが大切です。

# 物理の問題

**1** 60m/sで等速度運動をしている球がある。5秒間にどれだけ動きますか。また、30m移動するのに何秒かかりますか。

**2** 速度30m/sで走行していた自動車が6秒間に一定の割合で減速して停止した。このときの加速度と停車するまで走った距離を求めなさい。

**3** 次のてんびんがつり合うように、重さ、または長さを求めなさい。ただし、てんびんの重さは考えなくてよい。

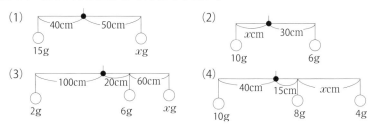

(1) 40cm 50cm 15g $x$g

(2) $x$cm 30cm 10g 6g

(3) 100cm 20cm 60cm 2g 6g $x$g

(4) 40cm 15cm $x$cm 10g 8g 4g

## 解答・解説

**1** 5秒間に移動した距離；300m　30m移動するのにかかった時間；0.5秒
〈解説〉 60m/sで5秒間に動いた距離は、$60 \times 5 = 300$［m］　30m移動するのにかかった時間は、$\dfrac{30}{60} = 0.5$［秒］

**2** 加速度：$-5$m/s$^2$、停止するまでに走った距離；90m
〈解説〉 30m/sで走行していた自動車が6秒後に停止したので、加速度は、$\dfrac{0-30}{6} = -5$［m/s$^2$］、走った距離は、$30 \times 6 - \dfrac{1}{2} \times 5 \times 6^2 = 90$［m］

**3** (1) 12g (2) 18cm (3) 1g (4) 55cm 〈解説〉 左まわりの力のモーメント＝右まわりの力のモーメントより(1) $15 \times 40 = x \times 50$ (2) $10 \times x = 6 \times 30$
(3) $2 \times 100 = 6 \times 20 + x \times (20 + 60)$ (4) $10 \times 40 = 8 \times 15 + 4 \times (15 + x)$

**4** (1) 2.2 Ω (2) 40kcal（40000cal） (3) $5 \times 10^{-2}$J（0.05J） (4) 11.2L

(5) $2 \times 10^{-4}$C（0.0002C） 〈解説〉 (1) $\dfrac{1}{R} = \dfrac{1}{5} + \dfrac{1}{4}$　$R \fallingdotseq 2.2$［Ω］

(2) $Q = mct$ より、$10 \times 1000 \times 0.8 \times 5 = 40000$［cal］ $= 40$［kcal］

(3) $U = \dfrac{1}{2}kx^2$ より、$\dfrac{1}{2} \times 10 \times 0.1^2 = 0.05$［J］ $= 5 \times 10^{-2}$［J］

4 次の値を求めなさい。

(1) 5 Ω の抵抗と 4 Ω の抵抗を並列につないだときの合成抵抗。

(2) 質量 10kg、比熱 0.8 の物質を 5℃ 上昇させるための熱量。

(3) バネ定数 10N/m のバネを 10cm 縮めたときの弾性エネルギー。

(4) 10 気圧で 22.4L の気体を 20 気圧にしたときの体積。

(5) 電気容量 2 μF のコンデンサーに 100V かけたときのたくわえられた電気量。

5 橋から小石を自由落下させたところ、3秒後に水面に落ちた。水面から橋までの高さは何 m か。ただし、重力加速度を 9.8m/s² とし、空気による抵抗は無視するものとする。

6 次の語句の単位記号として適するものを下から選び、記号を( )に書きなさい。

① 比　熱 (　)　　② 速　度 (　)　　③ 圧　力 (　)

④ 電　流 (　)　　⑤ 密　度 (　)　　⑥ 仕　事 (　)

⑦ 回転率 (　)　　⑧ 加速度 (　)　　⑨ 抵　抗 (　)

Ⓐ A　Ⓑ rpm　Ⓒ km/h　Ⓓ J　Ⓔ kW　Ⓕ cal/g·K

Ⓖ N　Ⓗ g/cm³　Ⓘ cm/s²　Ⓙ ppm　Ⓚ kgw/cm²　Ⓛ Ω

**解答・解説**

(4) $p_1v_1 = p_2v_2$ より、$10 \times 22.4 = 20 \times v_2$　$v_2 = 11.2$ [L]

(5) $Q = CV$ より、$2 \times 10^{-6} \times 100 = 2 \times 10^{-4}$ [C]

5 水面から橋までの距離：44.1m 〈解説〉 等加速度運動の $t$ 秒後の位置 $y$ を表す公式は、$y = v_0t + \frac{1}{2}at^2$ である。自由落下の場合は、初速度 $v_0 = 0$、加速度 $a = g$（重力加速度）より、この公式は、$y = \frac{1}{2}gt^2$ となる。橋の上から自由落下させた小石が3秒後に水面に落ちたので、水面から橋までの距離は、重力加速度が 9.8m/s² より、$\frac{1}{2} \times 9.8 \times 3^2 = 44.1$ [m]

6 ①−Ⓕ　②−Ⓒ　③−Ⓚ　④−Ⓐ　⑤−Ⓗ　⑥−Ⓓ　⑦−Ⓑ　⑧−Ⓘ ⑨−Ⓛ 〈解説〉 比熱の単位は cal/g·K や J/g·K、速度の単位は cm/s、m/s、km/h など、圧力の単位は kgw/cm² や N/m²、atm、hPa など、電流の単位は A、mA など、密度の単位は g/cm³ など、仕事の単位は J、kgw·m など、回転率の単位は rpm など、加速度の単位は cm/s²、m/s² など、抵抗の単位は Ω など、kW は仕事率や電力の単位、N は力の単位、ppm は 100 万分の 1 のことである。

# 化学の問題

**1** 次の物質を、単体・化合物・混合物に分けなさい。

(ア) 空気　　(イ) 酸素　　(ウ) 二酸化炭素　　(エ) エタノール　　(オ) 水

(カ) 海水

**2** 次の物質の化学式を下の記号群の中から選びなさい。

① 酸化銅(Ⅱ)　　② 炭酸水素ナトリウム　　③ 酸化銅(Ⅰ)

④ 硝酸ナトリウム　　⑤ 硫酸鉄(Ⅲ)

(ア) $FeSO_4$　　(イ) $Fe_2(SO_4)_3$　　(ウ) $NaHCO_3$　　(エ) $CuO$

(オ) $NaOH$　　(カ) $Cu_2O$　　(キ) $NaNO_3$　　(ク) $Na_2SO_3$

**3** 次にあげたA〜Eのうち、互いに同素体である組合せをすべて選ぶと、下の(1)〜(5)のどれになりますか、記号で答えなさい。

A　黄リンと赤リン　　　　B　一酸化炭素と二酸化炭素

C　ダイヤモンドと黒鉛　　D　メタンとエタン　　E　酸素とオゾン

(1)　A　B　C　　(2)　A　C　D　　(3)　A　C　E

(4)　B　C　E　　(5)　B　D　E

**4** 原子番号が同じで、質量数が異なる原子どうしを互いに何といいますか。

**5** 二酸化炭素が石灰水を白濁させるときの化学反応式を書きなさい。

**6** 標準状態で、気体 1 mol は何 L の体積を占めますか。

**7** 27℃、3 atm では、2 mol の二酸化炭素は何 L の体積を占めますか。

**8** 0.10mol/L の硫酸水溶液 500mL 中には何gの硫酸が含まれていますか。ただし、H＝1 、O＝16、S＝32 とします。

**9** 酸・塩基の水溶液を加えても、pH がほとんど変化しない溶液を何といいますか。

**10** 0.10mol/L の硫酸 10.0mL に 0.10mol/L の水酸化ナトリウム水溶液を 10.0mL 加えた溶液は、酸性・中性・塩基性のいずれを示しますか。

**11** 次にあげた化学反応式で、酸化剤としてはたらいているものを選び、その化学式を書きなさい。

(1)　$H_2O_2 + H_2S \longrightarrow 2H_2O + S$

(2)　$MnO_2 + 4HCl \longrightarrow MnCl_2 + Cl_2 + 2H_2O$

(3)　$I_2 + SO_2 + 2H_2O \longrightarrow 2HI + H_2SO_4$

12　次の文の（　）にあてはまる化学式を書きなさい。

乾電池の正極には（①）（正極端子は黒鉛）、負極には（②）が使われている。

13　次の化学反応で生じた沈殿の色がまちがっているものはどれですか。記号で答えなさい。

A　うすい硫酸＋塩化バリウム水溶液 ⟶ 白色の沈殿

B　硫化水素水＋酢酸鉛水溶液 ⟶ 黒色の沈殿

C　食塩水＋硝酸銀水溶液 ⟶ 褐色の沈殿

D　アンモニア水＋ネスラー試薬 ⟶ 黄褐色の沈殿

## 解答・解説

1　単体：(イ)　　化合物：(ウ)、(エ)、(オ)　　混合物：(ア)、(カ)　〈解説〉　1種類の元素だけからできている物質が単体である。

2　①－(エ)　②－(ウ)　③－(カ)　④－(キ)　⑤－(イ)　〈解説〉　$FeSO_4$は硫酸鉄（Ⅱ）、$Fe_2(SO_4)_3$は硫酸鉄（Ⅲ）である。

3　(3)　〈解説〉　ただ1種類の元素でできた単体で、互いに性質の異なる物質どうしを同素体という。

4　同位体

5　$Ca(OH)_2 + CO_2 \longrightarrow CaCO_3 + H_2O$　〈解説〉　矢印の左辺、右辺で、原子の数と種類が等しくなるように注意する。

6　22.4L　〈解説〉　標準状態とは、0℃、1atm のことである。

7　16.4L　〈解説〉　気体の状態方程式；$pV = nRT$ より、
$3 \times V = 2 \times 0.082 \times (273 + 27)$　$V = 16.4$〔L〕

8　4.9g　〈解説〉　硫酸($H_2SO_4$)の式量は、$1 \times 2 + 32 + 16 \times 4 = 98$

0.1mol/L の硫酸水溶液 500mL 中には、$0.10 \times \dfrac{500}{1000} = 0.05$〔mol〕の硫酸が含まれているので、その質量は、$0.05 \times 98 = 4.9$〔g〕

9　緩衝液

10　酸性　〈解説〉　硫酸は二価の酸なので、同じ物質量では〔価数×物質量〕は酸＞塩基となり、溶液は酸性（pH＜7）を示す。

11　(1) $H_2O_2$　(2) $MnO_2$　(3) $I_2$　〈解説〉　酸化剤自身は還元されるので、酸化数が減少するものをさがせばよい。
(1) O：－Ⅰ→－Ⅱ　(2) Mn：＋Ⅳ→＋Ⅱ　(3) I：0→－Ⅰ

12　① $MnO_2$　② Zn　〈解説〉　乾電池（塩化亜鉛乾電池）では、正極に二酸化マンガン（$MnO_2$）、負極に亜鉛（Zn）、電解液に塩化亜鉛（$ZnCl_2$）＋塩化アンモニウム（$NH_4Cl$）が使われる。

13　C　〈解説〉　Cでは、塩化銀（AgCl）の白色の沈殿が生じる。

# 生物の問題

1　コルクを顕微鏡で見ることで、世界で初めて細胞を観察した人は誰ですか。

2　細胞内で次のようなはたらきをするものをそれぞれ何といいますか。

(1)　半透性を示し、細胞内への物質の出入りを調節する。

(2)　小胞体の表面やその付近にある小さな粒子で、タンパク質合成の場となる。

(3)　好気呼吸において、クエン酸回路、水素伝達系の反応がここで行われる。

3　生体内で最も多くの割合を占め、いろいろな物質を溶解し、生体内での反応を容易にする物質は何ですか。

4　酵素の本体として代謝を推進したり、脂質と結合して生体膜を構成したりする物質は何ですか。

5　次の文は酵素について説明したものです。まちがっているものを選び記号で答えなさい。

A　生体内での各種の化学反応において触媒としてはたらく。

B　それぞれ決まった基質にしかはたらかない。

C　温度が高いほどよくはたらく。

6　結核菌やコレラ菌の発見者で、北里柴三郎の恩師でもある人は誰ですか。

## 解答・解説

1　フック（ロバート・フック）

2　(1) 細胞膜　(2) リボソーム　(3) ミトコンドリア　〈解説〉　クエン酸回路はミトコンドリアのマトリックス、水素伝達系はミトコンドリアの内膜で行われる（解糖系は細胞質基質で行われる）。

3　水　〈解説〉　細胞の化学成分で最も多いのは水、次に多いのがタンパク質である。

4　タンパク質　〈解説〉　タンパク質はこのほか、核酸と結合して染色体を構成したり、エネルギー源になる。

5　C　〈解説〉　酵素の本体はタンパク質であるため、60～70℃以上では変性し、活性が失われる。酵素が最もよくはたらく温度はふつう30～40℃である。

6　コッホ（ロベルト・コッホ）

7　Ｏ型とＡＢ型の両親から生まれる子供の血液型は何ですか。すべて答えなさい。

8　次にあげた病気のうち、遺伝子突然変異によるものを選びなさい。

A　鎌状赤血球貧血症　　B　糖尿病　　C　ダウン症候群

9　脂肪は消化されて脂肪酸とグリセリンに分解されます。その際作用する酵素と、この酵素が含まれる消化液の名称を答えなさい。

10　デンプンは消化されてマルトースになり、さらに消化されてグルコースになります。その際作用する酵素はそれぞれ何ですか。

11　驚いたり興奮したりしたときにはたらく自律神経系は何ですか。

12　血糖量を減少させるときにはインスリンというホルモンが分泌されます。このホルモンはどの器官から分泌されますか。

13　次のヒトの血液の成分について説明した文を下から選びなさい。

(1)　赤血球　　(2)　白血球　　(3)　血小板

A　血液凝固に重要な役割を果たす。

B　ヘモグロビンを含み、酸素の運搬を行う。

C　体内に侵入した細菌などを捕食したり、免疫に関係する。

## 解答・解説

7　Ａ型かＢ型　〈解説〉　生まれる子供の遺伝子型はＡＯかＢＯである。ＯはＡに対してもＢに対しても劣性なので、血液型はＡ型かＢ型となる。

8　Ａ　〈解説〉　糖尿病はインスリンの欠乏、ダウン症候群は染色体突然変異によるものである。

9　酵素：リパーゼ　消化液：すい液　〈解説〉　すい液はすい臓でつくられ、十二指腸に分泌される。

10　デンプン→マルトース：アミラーゼ　マルトース→グルコース：マルターゼ　〈解説〉　デンプンは、だ液やすい液に含まれるアミラーゼによって、マルトース（麦芽糖）に分解される。マルトースは、腸液に含まれるマルターゼによって、グルコース（ブドウ糖）に分解される。

11　交感神経　〈解説〉　交感神経と副交感神経は拮抗的にはたらいている。驚いたり興奮したりしたときには、瞳孔が拡大したり、心臓の拍動が増加したりするが、これらは交感神経によるものである。

12　すい臓　〈解説〉　すい臓のランゲルハンス島β細胞からインスリンが分泌される。

13　(1)-Ｂ　(2)-Ｃ　(3)-Ａ　〈解説〉　免疫に関係するのは、白血球の中でも小型のリンパ球と呼ばれるものである。

# 地学・理科の全般の問題

**1** 次の文はそれぞれA〜Eの、どの惑星について説明したものですか。記号で答えなさい。

(1) 宵の明星、明けの明星と呼ばれる惑星で、その大気の主成分は二酸化炭素。

(2) 惑星の中で最も大きく、大気の主成分は水素。

(3) 大気がほとんどなく、表面温度は昼間は約340℃、夜間は約−160℃となる。

A 火星　　B 水星　　C 木星　　D 金星　　E 土星

**2** 星の位置は1時間で何度動いて見えますか。また、1ヵ月後の同時刻には何度動いて見えますか。

**3** 1等星の明るさは6等星の何倍になりますか。

**4** 宇宙の始まりとされ、これによって宇宙は膨張を開始したと考えられていることは何ですか。

**5** 中緯度地方の上空をとり巻くように、南北にわずかにうねりながら、ほぼ西から東へ吹く風を何といいますか。また、この風の中で特に風速が速いものを何と言いますか。

---

### 解答・解説

**1** (1)−D　(2)−C　(3)−B　〈解説〉　金星は夕方西の空（宵の明星）、明け方東の空（明けの明星）でしか観察できない。また、水星は太陽に最も近く、1昼夜が約180日と非常に長いため、昼夜の温度差が大きい。

**2** 1時間：15度　1ヵ月：30度　〈解説〉　地球は約1日で1回自転するので、$\dfrac{360}{24}=15$［度／時］、約1年で1回公転するので、$\dfrac{360}{12}=30$［度／月］。

**3** 100倍　〈解説〉　5等級減じると明るさは1/100倍になる。

**4** ビッグバン　〈解説〉　ビッグバンとは大爆発のことである。

**5** 西から東へ吹く風：偏西風　特に風速が速いもの：ジェット気流
〈解説〉　偏西風は、低気圧の発生や移動、前線の動きなどに大きな影響をあたえている。

6　雪が落下の途中で過冷却の水滴と衝突して氷の粒をまわりにつけ、そのまま解けずに降ってきたもの (A) を何といいますか。さらに、Aが上昇気流によって何度も上空へ吹き上げられ、さらに大きくなったもの (B) を何といいますか。

7　夏と冬の代表的な気圧配置をそれぞれ何といいますか。

8　梅雨前線と関係の深い高気圧を、次のA～Dからすべて選び、記号で答えなさい。

A　シベリア高気圧　　B　オホーツク高気圧　　C　長江高気圧

D　太平洋高気圧

9　次の文は台風について説明したものです。まちがっているものを1つ選び、記号で答えなさい。

A　熱帯低気圧のうちで、風速が約17m/s以上のものである。

B　等圧線はほぼ同心円状を示す。

C　南太平洋の高緯度の海上で発生する。

D　前線を伴わない。

10　潮の満ち引きの主な原因は何ですか。

11　マグニチュードが1増すと、地震波のエネルギーは約何倍増加しますか。

12　地殻やマントルの上部に大きな力がはたらくのは、地球表面を覆っているプレートが動くからだと考えられています。この考え方は何と呼ばれていますか。

### 解答・解説

6　A あられ　B ひょう　〈解説〉　直径5mmまでのものがあられ、数mm～5cm以上に達するものがひょうである。

7　夏；南高北低　冬；西高東低　〈解説〉　夏には太平洋高気圧が発達するため、南高北低の気圧配置となる。また、冬にはシベリア高気圧が発達するため、西高東低の気圧配置となる。

8　B、D　〈解説〉　オホーツク高気圧と太平洋高気圧の間にできた停滞前線が梅雨前線である。

9　C　〈解説〉　台風は、北太平洋の低緯度の海上で発生する。

10　月の引力　〈解説〉　主に月の引力と地球の公転によって生じる慣性力とのかねあいによって、干潮や満潮が起きる。

11　約32倍　〈解説〉　地震波のエネルギーを $E$、マグニチュードを $M$ とすると、$\log E = 1.5M + 11.8$

12　プレートテクトニクス　〈解説〉　地球の表面は十数枚のプレートで覆われ、それぞれのプレートは1年間に数cmくらいの速さで動いている。

**13** 次にあげた化石は、それぞれ下のA～Cのどの地質時代の示準化石ですか。記号で答えなさい。

(1) フズリナ　　(2) ナウマンゾウ　　(3) アンモナイト　　(4) 三葉虫

A　古生代　　B　中生代　　C　新生代

**14** 次の説明に関係の深い人名を下のA～Fから選び、記号で答えなさい。

(1) 惑星の運動に関する第1法則、第2法則、第3法則を発見した。

(2) 中間子の存在を予想した。

(3) 自然発生説を完全に否定した。

(4) オリザニン（ビタミンB₁）を抽出した。

(5) 「種の起源」を著し、自然選択説を提唱した。

A　パスツール　　B　ダーウィン　　C　ケプラー　　D　アルキメデス

E　鈴木梅太郎　　F　湯川秀樹

**15** 次にあげた環境破壊の原因となる気体を下のA～Fからすべて選び、記号で答えなさい。

(1) 酸性雨　　(2) オゾン層の破壊　　(3) 地球の温暖化

A　二酸化硫黄　　B　フロン　　C　酸素　　D　二酸化炭素

E　窒素　　F　窒素酸化物

**16** 水中に溶けこんだ有害物質が食物連鎖を通じて濃縮されていく現象を何と言いますか。

### 解答・解説

**13** (1)－A　(2)－C　(3)－B　(4)－A　〈解説〉　示準化石とは、その化石が含まれている地層が堆積した年代がわかるものである。

**14** (1)－C　(2)－F　(3)－A　(4)－E　(5)－B　〈解説〉　(1)の3つの法則はケプラーの法則と呼ばれる。また、(4)のオリザニンはビタミンの中で最初に分離されたものである。

**15** (1)－A、F　(2)－B　(3)－D　〈解説〉　酸性雨は、雨の中に二酸化硫黄や窒素酸化物が溶けこみ、強い酸性を示すようになったもの。酸性雨は森林を枯らしたり、湖の水を酸性に変える。オゾン層は太陽からの有害な紫外線を弱めるはたらきをしているが、フロンによってオゾンの量が減ると、皮膚ガンの発生や農作物の減少につながる。また、二酸化炭素には地球から宇宙空間に放射される熱を吸収するはたらきがある（温室効果）。そのため、大気中の二酸化炭素濃度が高くなると、温室効果が強く作用し、地球の平均気温が上昇していく。これが地球の温暖化である。

**16** 生物濃縮　〈解説〉　水中にごく少量溶けていた物質でも、食物連鎖によって他の動物に移っていくと、分解されることがないために濃度が高くなっていき、特に最終段階の生物に大きな被害を与える。

# 理 科 要点のまとめ

加速度　$a = \dfrac{v_2 - v_1}{t_2 - t_1}$

等加速度直線運動　$v = v_0 + at$、

$$x = v_0 t + \dfrac{1}{2} at^2$$

フックの法則　$F = kx$

力学的エネルギー　$K = \dfrac{1}{2} mv^2$

$$U = mgh,\ W = \dfrac{1}{2} kx^2$$

$a$：加速度、$v$：速さ、$t$：時間、$v_0$：初速度、$x$：移動距離、$F$：力の大きさ、$k$：ばね定数、$K$：運動エネルギー、$U$：位置エネルギー、$W$：弾性エネルギー

オームの法則　$V = IR$

直列回路　電流一定、$E = V_1 + V_2 + \cdots$、$R = R_1 + R_2 + \cdots$

並列回路　電圧一定、$I = I_1 + I_2 + \cdots$、$\dfrac{1}{R} = \dfrac{1}{R_1} + \dfrac{1}{R_2} + \cdots$

電力　$P = IV$

ジュールの法則　$Q = Pt = IVt$

熱量と温度変化　$Q = mct$

$V$：電圧、$R$：抵抗、$I$：電流、$E$：電源電圧、$P$：電力、$Q$：発熱量、$t$：時間、$m$：質量、$c$：比熱

アルキメデスの原理　水の中の物体は、その物体が押しのけた水の重さと等しい大きさの浮力を受ける。

ドップラー効果　音源と観測者が近づくときには音源よりも高い音、遠ざかるときには低い音に聞こえる。

反射の法則　光が鏡などに当たって反射するとき、入射角と反射角は等しくなる。

同素体　ただ1種類の元素でできた単体で、互いに性質の異なる物質どうし。

同位体　同一元素の原子で、中性子の数が異なるもの。原子番号が等しく、質量が異なる元素。

絶対温度　$T\,[\mathrm{K}] = 273 + t\,[℃]$

ボイル・シャルルの法則

$$\dfrac{p_1 V_1}{T_1} = \dfrac{p_2 V_2}{T_2}$$

気体の状態方程式　$pV = nRT$

$p$：圧力、$V$：体積、$T$：絶対温度、$n$：物質量、$R$：気体定数$= 0.082$

1 mol　$6.0 \times 10^{23}$ 個の粒子の集まり。気体は標準状態（0℃、1 atm）で22.4 L の体積を占める。

細胞膜　半透性を示し、能動輸送を行う。

ミトコンドリア　好気呼吸において、クエン酸回路、水素伝達系の反応が行われる（解糖系は細胞質基質で行われる）。

リボソーム　タンパク質合成の場。

葉緑体　光合成の場、植物細胞に特有。

赤血球　ヘモグロビンを含み、酸素を運搬する。血球中で最も数が多い。

白血球　食菌作用をもつ。リンパ球と呼ばれるものは免疫に関係する。

血小板　血液凝固作用に関係する。

デンプンの分解　デンプン⇨（アミラーゼ）⇨マルトース⇨（マルターゼ）⇨グルコース

タンパク質の分解　タンパク質⇨（ペプシン）⇨ポリペプチド⇨（トリプシン）⇨ペプチド⇨（ペプチダーゼ）⇨アミノ酸

脂肪の分解　脂肪⇨（リパーゼ）⇨脂肪酸＋グリセリン

栄養分の吸収　グルコースとアミノ酸は小腸の柔毛の毛細血管で、脂肪酸とグリセリンは小腸の柔毛のリンパ管から吸収される。

血液型と遺伝子型　A型；ＡＡ、ＡＯ、B型；ＢＢ、ＢＯ、ＡＢ型；ＡＢ、O型：ＯＯ

自律神経系　交感神経系（興奮時にはたらく）と副交感神経系（休息時にはたらく）とがあり、互いに拮抗している。

アドレナリン　交感神経のはたらきを促進。

インスリン　血糖量を低下させる。

太陽系の惑星（太陽に近いほうから）水星、金星、地球、火星、木星、土星、天王星、海王星。

太陽の半径　約70万km（地球の約109倍）。

月の半径　約1740km（地球の約$\frac{1}{4}$）。

月の満ち欠け　満月から次の満月まで約29.5日。

同じ時刻に見える星の位置　1日に約1度、約1か月で約30度移動する。

1 atm　1atm＝約1013hPa＝約1kg重/cm$^2$＝760mmHg

高度と気圧　10m高くなるごとに約1.2hPaずつ低くなる。

温帯低気圧の移動　ふつう、西から東へ移動する。それに伴って、天気も西から東へ変化する。

冬の気圧配置　西高東低。

夏の気圧配置　南高北低。

震度　地震のゆれの大きさを表す。10段階（0～7、5と6は強弱の2段階）に分けられる。

マグニチュード　地震波のエネルギーを表す。マグニチュードが1増えるごとに地震波のエネルギーは約32倍になる。

震源の分布　震源は日本海溝の大陸側に集中し、海溝から日本海側に向かうにつれて深くなっていく。

示相化石　その化石を含む地層が堆積した当時の自然環境を推定するのに役立つ化石。

示準化石　その化石を含む地層が堆積した時代を推定するのに役立つ化石。

地質時代　先カンブリア時代⇨古生代⇨中生代⇨新生代

# 数学の常識問題
## 傾向と対策

　技術系の職種を志す人にとって、理科と数学の出題比率が高いのはしかたありません。数学の出題形式としては、やはり計算問題が多いのですが、近年は応用問題（文章題）も増えているようです。理科と同じように、数学も基礎的な知識がしっかり身についているかがポイントになります。中学の数学をひと通り復習し、苦手な分野があったら徹底的に洗い直してください。コツコツと努力することが最短コースです。

# 数と式の計算問題

---

**1** 次の式を展開しなさい。

(1) $(2a+5b)^2$      (2) $(4+a)(4-a)$      (3) $(x-3a)(x+a)$

(4) $(2x-7)(x+1)$      (5) $(x+3)^3$

**2** 次の式を展開しなさい。

(1) $(x+2)(x^2-2x+4)$      (2) $(3a-2b)(9a^2+6ab+4b^2)$

(3) $(a-b+c)^2$

**3** 次の式を因数分解しなさい。

(1) $xy+6y$      (2) $x^2-6x+9$      (3) $4a^2-25b^2$

(4) $x^2-8x+12$      (5) $5x^2-11x+2$      (6) $x^3+27$

**4** 次の式を因数分解しなさい。

(1) $(2a+1)^2-(2a+1)-6$      (2) $1-x+y-xy$

(3) $x^2+6y-y^2-9$

---

### 解答・解説

**1** (1) $4a^2+20ab+25b^2$ (2) $16-a^2$ (3) $x^2-2ax-3a^2$ (4) $2x^2-5x-7$
(5) $x^3+9x^2+27x+27$ 〈解説〉 $(a+b)^2=a^2+2ab+b^2$、$(a-b)^2=a^2-2ab+b^2$
$(ax+b)(cx+d)=acx^2+(ad+bc)x+bd$ などの公式を使う。

**2** (1) $x^3+8$ (2) $27a^3-8b^3$ (3) $a^2+b^2+c^2-2ab-2bc+2ca$
〈解説〉 $(a+b)(a^2-ab+b^2)=a^3+b^3$ $(a-b)(a^2+ab+b^2)=a^3-b^3$ などの
公式を使う。

**3** (1) $y(x+6)$ (2) $(x-3)^2$ (3) $(2a-5b)(2a+5b)$
(4) $(x-2)(x-6)$ (5) $(x-2)(5x-1)$ (6) $(x+3)(x^2-3x+9)$
〈解説〉 共通因数でくくり、公式を利用する。

**4** (1) $2a+1=A$ とおくと 与式 $=A^2-A-6=(A-3)(A+2)$
よって、与式 $=(2a-2)(2a+3)=2(a-1)(2a+3)$
(2) 与式 $=1-x+y(1-x)=(1-x)(1+y)$
(3) 与式 $=x^2-(y-3)^2=\{x-(y-3)\}\{x+(y-3)\}=(x-y+3)(x+y-3)$
〈解説〉 同じ形の式を1つの文字で置き換えて、公式を利用する。

**5** 次の計算をしなさい。　　　　　　　　　　　　　　　　〈フムラ〉

(1) $4-\{-5-(-8+2)\}$　　　(2) $6\times3-24\div3$

(3) $\dfrac{1}{2}-\dfrac{3}{4}+\dfrac{1}{8}$　　　　　　(4) $\dfrac{3x-2y}{6}-\dfrac{x-y}{2}$

(5) $3\sqrt{3}-5\sqrt{2}+8\sqrt{3}-3\sqrt{2}$　　(6) $2.16\times5.4$

(7) $0.75\times2\dfrac{2}{3}\times(-5)^2$　　(8) $25.17\div0.3$

**6** 次の式のうち正しいものには○、誤っているものには×をつけなさい。

〈南海電気鉄道・大栄〉

(1) $a\times(b\div c)=(a\times b)\div c$　　(2) $a\div(b\times c)=(a\div b)\times c$

(3) $a\div(b\div c)=(a\div b)\div c$　　(4) $0\div a=0$　　$(a\neq0)$

(5) $0\div0=1$　　　　　　　　　(6) $a^m\times a^n=a^{m+n}$

(7) $a\sqrt{b}=\sqrt{ab}$　　　　　　　(8) $a^0=0$

(9) $(\sqrt{a})^2=\sqrt{a^2}=a\ (a>0)$

(10) $\sqrt{(-a)^2}=-a$　　　$(a>0)$

**7** 次の式を計算しなさい。

(1) $(1+\sqrt{2}+\sqrt{3})(1+\sqrt{2}-\sqrt{3})$

(2) $(1+\sqrt{2}-\sqrt{3})(1-\sqrt{2}+\sqrt{3})$

(3) $\sqrt{3}(2\sqrt{6}-\sqrt{3})$　　　　(4) $\dfrac{2\sqrt{3}-\sqrt{2}}{\sqrt{3}+\sqrt{2}}$

(5) $\dfrac{\sqrt{5}+1}{\sqrt{5}-\sqrt{3}}+\dfrac{\sqrt{5}-1}{\sqrt{5}+\sqrt{3}}$

(6) $(a+b+c)^2-(a-b-c)^2$

## 解答・解説

**5** (1) 3　(2) 10　(3) $-\dfrac{1}{8}$　(4) $\dfrac{y}{6}$　(5) $11\sqrt{3}-8\sqrt{2}$　(6) 11.664
(7) 50　(8) 83.9

**6** (1)－○　(2)－×　(3)－×　(4)－○　(5)－×　(6)－○　(7)－×　(8)－×
(9)－○　(10)－×　〈解説〉　(7)　$a\sqrt{b}=\sqrt{a^2b}$　(8)　$a^0=1$

**7** (1) $2\sqrt{2}$　(2) $-4+2\sqrt{6}$　(3) $6\sqrt{2}-3$　(4) $8-3\sqrt{6}$　(5) $5+\sqrt{3}$
(6) $4ab+4ca$　〈解説〉　無理数を含んだ分数の計算は、分母から無理数をなくす
ことを考えて計算する。

# 方程式と不等式の問題

---

**1** 次の方程式を解きなさい。

(1) $(x-1)^2 = 9$　　(2) $4x^2 + 20x + 25 = 0$　　(3) $2x^2 + 3x - 1 = 0$

**2** 次の2次方程式の解を判別しなさい。

(1) $3x^2 + x - 4 = 0$　　(2) $9x^2 - 12x + 4 = 0$　　(3) $x^2 + 9x + 18 = 0$

**3** $a$ を実数の定数とするとき、$2x^2 + 4x + a^2 + 3 = 0$ の解を判別しなさい。

**4** 次の方程式、不等式を解きなさい。

(1) $\begin{cases} x - 2y = 1 \\ x^2 - 3xy + 5y^2 = 5 \end{cases}$　　(2) $x(x-4) < 12$

---

## 解答・解説

**1** (1) $x - 1 = \pm 3$　$x = 1 \pm 3$　よって、$x = 4、-2$　(2) 与式 $= (2x + 5)^2 = 0$

よって、$x = -\dfrac{5}{2}$（重解）　(3) $x = \dfrac{-3 \pm \sqrt{9 + 8}}{2 \cdot 2} = \dfrac{-3 \pm \sqrt{17}}{4}$

〈解説〉　2次方程式の解き方には、①因数分解による方法、②解の公式を利用する方法がある。

**2** (1) $D = 1^2 + 4 \cdot 3 \cdot 4 = 49 > 0$　よって、異なる2つの実数解をもつ。

(2) $\dfrac{D}{4} = (-6)^2 - 9 \cdot 4 = 0$　よって、重解をもつ。

(3) $D = 9^2 - 4 \cdot 18 = 9 > 0$　よって、異なる2つの実数解をもつ。〈解説〉　2次方程式 $ax^2 + bx + c = 0$ において、$D = b^2 - 4ac$ の符号によって解を判別する。

i)　$b^2 - 4ac > 0$ のとき異なる2つの実数解、ii)　$D = b^2 - 4ac = 0$ のとき重解、

iii)　$D = b^2 - 4ac < 0$ のとき実数解をもたない。

**3** $\dfrac{D}{4} = 2^2 - 2(a^2 + 3) = 4 - 2a^2 - 6 = -2(a^2 + 1)$　ここで、$a^2 + 1 > 0$　より、

$-2(a^2 + 1) < 0$　よって、実数解をもたない（異なる2つの虚数解をもつ）。

**4** (1) $\begin{cases} x = 3 \\ y = 1 \end{cases}、\begin{cases} x = -\dfrac{5}{3} \\ y = -\dfrac{4}{3} \end{cases}$　　(2) $-2 < x < 6$

5 方程式 $x^2+y^2+6x+4y-3=0$ は、どんな図形を表すか、答えなさい。

（京阪電気鉄道）

6 次の連立方程式を解きなさい。

(1) $\begin{cases} 2x+3y=7 \cdots\cdots① \\ 3x-4y=2 \cdots\cdots② \end{cases}$　　(2) $\begin{cases} 2x+y=7 \cdots\cdots① \\ x=y-1 \cdots\cdots② \end{cases}$

(3) $5x-3y+8=3x+2y=7$

7 次の不等式を解きなさい。

(1) $2x+1<3x-2$　　(2) $3(x-2)\leqq 7-5x$

8 次の不等式を同時に満足する範囲を求めなさい。

（東京放送ほか）

(1) $3x-2>7$　$2x+13\geqq 4x-5$　　(2) $x^2+x-6<0$　$x^2+x-2>0$

(3) $x^2-x-12<0$　$x^2-2x\geqq 0$　　(4) $x^2-3x-1<0$

## 解答・解説

5 $x^2+y^2+6x+4y-3=0$ より、$(x^2+6x+9)-9+(y^2+4y+4)-4-3=0$
$(x+3)^2+(y+2)^2-9-4-3=0$　　$(x+3)^2+(y+2)^2=4^2$
よって、中心$(-3, -2)$、半径4の円を表す。
〈解説〉　一般に、中心の座標が$(a, b)$、半径$r$の円の方程式は、$(x-a)^2+(y-b)^2=r^2$で表される。

6 (1) ①×3－②×2 より、$17y=17$　$y=1$　これを①に代入して、
$2x+3=7$　$2x=4$　$x=2$　$\begin{cases} x=2 \\ y=1 \end{cases}$

(2) ②を①に代入すると、$2(y-1)+y=7$　$3y=9$　$y=3$
②より、$x=2$　$\begin{cases} x=2 \\ y=3 \end{cases}$

(3) $\begin{cases} 5x-3y+8=7 \\ 3x+2y=7 \end{cases}$ → $\begin{cases} 5x-3y=-1 \cdots\cdots① \\ 3x+2y=7 \cdots\cdots② \end{cases}$
①×2＋②×3 より、$19x=19$　$x=1$　これを②に代入して、
$3+2y=7$　$2y=4$　$y=2$　$\begin{cases} x=1 \\ y=2 \end{cases}$

7 (1) $2x-3x<-3$　$x>3$　　(2) $3x-6\leqq 7-5x$　$8x\leqq 13$　$x\leqq \dfrac{13}{8}$

8 (1) $3<x\leqq 9$　(2) $x^2+x-6<0$　$(x+3)(x-2)<0$　$-3<x<2\cdots\cdots①$
$x^2+x-2>0$　$(x+2)(x-1)>0$　$x<-2$　$x>1\cdots\cdots②$、
①②を満足させる範囲は①②より、$-3<x<-2$　$1<x<2$

(3) $-3<x\leqq 0$、$2\leqq x<4$　　(4) $\dfrac{3-\sqrt{13}}{2}<x<\dfrac{3+\sqrt{13}}{2}$

# 関数とグラフの問題

---

**1** 次の2次方程式のグラフの頂点の座標と軸の方程式を求めなさい。

(1) $y = 3x^2 - 9x - 4$　　(2) $y = -\dfrac{1}{2}x^2 + 3x - \dfrac{1}{2}$

**2** 次の条件を満たす2次関数を求めなさい。

(1) 頂点の座標が（2，1）で、点（−4，3）を通る。

(2) 3点（1，2）、（0，3）、（−1，6）を通る。

---

### 解答・解説

**1** (1) $y = 3\left(x - \dfrac{3}{2}\right)^2 - \dfrac{27}{4} - 4 = 3\left(x - \dfrac{3}{2}\right)^2 - \dfrac{43}{4}$

したがって、頂点の座標は $\left(\dfrac{3}{2}, -\dfrac{43}{4}\right)$

軸は、$x = \dfrac{3}{2}$

(2) $y = -\dfrac{1}{2}(x-3)^2 + \dfrac{9}{2} - \dfrac{1}{2} = -\dfrac{1}{2}(x-3)^2 + 4$

したがって頂点の座標は（3，4）

軸は、$x = 3$

**2** (1) 求める2次関数の式を $y = a(x-p)^2 + q$ とすると、頂点の座標より

$y = a(x-2)^2 + 1$　また、点（−4，3）を通るから

$3 = a(-4-2)^2 + 1$　$36a = 2$　$a = \dfrac{1}{18}$

したがって、求める2次関数は $y = \dfrac{1}{18}(x-2)^2 + 1$

(2) 求める2次関数の式を $y = ax^2 + bx + c$ とすると、条件より、

$2 = a + b + c \cdots$① 　$3 = c \cdots$② 　$6 = a - b + c \cdots$③

　　③−①より、$-2b = 4$　$b = -2 \cdots$④ 　②、④を①に代入すると

　　$2 = a - 2 + 3$　$a = 1$　よって、$y = x^2 - 2x + 3$

3　次の変域における２次関数　$y=x^2+2x-3$　の最大値または最小値を求めなさい。

(1)　$0 \leqq x \leqq 2$　　(2)　$-2 \leqq x \leqq 0$　　(3)　$-3 \leqq x \leqq -1$

4　長さ 16cm の針金で長方形をつくるとき、面積が最大になるようにしたい。針金をどのように折り曲げればよいか求めなさい。

5　$\theta$ が鋭角で、$\sin\theta = \dfrac{1}{3}$ のとき、次の値を求めなさい。

(1)　$\cos\theta$　　(2)　$\tan\theta$

6　次の三角比を $0°$ から $45°$ までの角の三角比で表しなさい。

(1)　$\sin 65°$　　(2)　$\cos 53°$　　(3)　$\tan 69°$

### 解答・解説

3　$y = x^2 + 2x - 3 = (x+1)^2 - 4$

(1)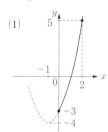

(2)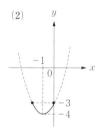

(3)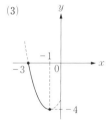

$x=2$ のとき
最大値　5
$x=0$ のとき
最小値 $-3$

$x=-2$、0 のとき
最大値 $-3$
$x=-1$ のとき
最小値 $-4$

$x=-3$ のとき
最大値　0
$x=-1$ のとき
最小値 $-4$

4　1辺の長さを $x$cm、長方形の面積を $y$cm$^2$ とすると
$y = x \times (8-x) = -x^2 + 8x = -(x-4)^2 + 16$　したがって、$x=4$ のとき、すなわち1辺の長さが4cm の正方形のとき、面積は最大で16cm$^2$。

5　(1)　$\sin^2\theta + \cos^2\theta = 1$ より　$\cos^2\theta = 1 - \sin^2\theta = 1 - \left(\dfrac{1}{3}\right)^2 = \dfrac{8}{9}$

$\cos\theta > 0$ だから、$\cos\theta = \dfrac{2\sqrt{2}}{3}$

(2)　$\tan\theta = \dfrac{\sin\theta}{\cos\theta}$ より　$\tan\theta = \dfrac{1}{3} \div \dfrac{2\sqrt{2}}{3} = \dfrac{1}{2\sqrt{2}} = \dfrac{\sqrt{2}}{4}$

6　(1)　$\sin 65° = \sin(90° - 25°) = \cos 25°$　　(2)　$\cos 53° = \cos(90° - 37°) = \sin 37°$

(3)　$\tan 69° = \tan(90° - 21°) = \dfrac{1}{\tan 21°}$

7　次の三角比を鋭角の三角比で表しなさい。

(1)　$\sin 165°$　　　(2)　$\cos 155°$　　　(3)　$\tan 140°$

8　加法定理を使って、次の値を求めなさい。

(1)　$\sin 15°$　　　(2)　$\cos 105°$　　　(3)　$\tan 75°$

9　次の［Ａ群］のグラフの用語と関係の深い方程式を［Ｂ群］から選び、
線で結びなさい。

（東宝、第一二共、日本無線）

［Ａ群］　　　　　　　　　　　　　［Ｂ群］

①　直　　線・　　　　　　　　　・Ⓐ　$x^2 + y^2 - 2y - 1 = 0$

②　双曲線・　　　　　　　　　　・Ⓑ　$y = 4x^2 + 7x + 3$

③　円　　　・　　　　　　　　　・Ⓒ　$2xy = 3$

④　放物線・　　　　　　　　　　・Ⓓ　$y = -8x + 9$

## 解答・解説

7　(1)　$\sin 165° = \sin(180° - 15°) = \sin 15°$

(2)　$\cos 155° = \cos(180° - 25°) = -\cos 25°$

(3)　$\tan 140° = \tan(180° - 40°) = -\tan 40°$

8　(1)　$\sin 15° = \sin(60° - 45°) = \sin 60° \cos 45° - \cos 60° \sin 45°$

$$= \frac{\sqrt{3}}{2} \cdot \frac{1}{\sqrt{2}} - \frac{1}{2} \cdot \frac{1}{\sqrt{2}} = \frac{\sqrt{6} - \sqrt{2}}{4}$$

(2)　$\cos 105° = \cos(60° + 45°) = \cos 60° \cos 45° - \sin 60° \sin 45°$

$$= \frac{1}{2} \cdot \frac{1}{\sqrt{2}} - \frac{\sqrt{3}}{2} \cdot \frac{1}{\sqrt{2}} = \frac{\sqrt{2} - \sqrt{6}}{4}$$

(3)　$\tan 75° = \tan(45° + 30°)$

$$= \frac{\tan 45° + \tan 30°}{1 - \tan 45° \tan 30°} = \frac{1 + \dfrac{1}{\sqrt{3}}}{1 - 1 \cdot \dfrac{1}{\sqrt{3}}} = \frac{\sqrt{3} + 1}{\sqrt{3} - 1} = 2 + \sqrt{3}$$

9　①－Ⓓ　　②－Ⓒ　　③－Ⓐ　　④－Ⓑ

〈解説〉直線…$y = ax + b$（あるいは、$ax + by + c = 0$）$x$ の1次式で表される。

双曲線…$xy = a$（あるいは、$y = \dfrac{a}{x}$）で表される。

円…$(x - a)^2 + (y - b)^2 = r^2$（中心 $(a, b)$、半径 $r$）で表される。

放物線…$y = ax^2 + bx + c$　$x$ の2次式で表される。

# 幾何と図形・その他の問題

---

1 次の図で、x、y の値を求めなさい。

(1)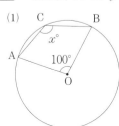

(2)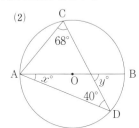

(3)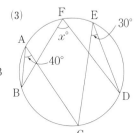

---

### 解答・解説

1 (1) ∠ACB は、C を含まない弧 AB に対する中心角 ∠AOB の $\frac{1}{2}$ だから、

$$(360° - 100°) \times \frac{1}{2} = 130°$$

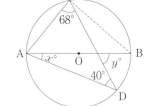

(2) i) 図のように BC に補助線を引く。

AB は中心 O を通る直径だから

∠ACB = ∠BCD + ∠ACD

   = ∠BAD + ∠ACD

よって、90° = x° + 68°

   x° = 22°

ii) y° = 40° + x°　よって、i) より　y° = 40° + 22° = 62°　$\begin{cases} x = 22 \\ y = 62 \end{cases}$

(3) 図のように補助線を引くと、

∠BAC = ∠BFC = 40°

∠CED = ∠CFD = 30°

よって、

∠BFD = ∠BFC + ∠CFD

   = 70°

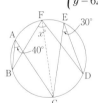

**2** 次の図で、$x$、$y$ の値を求めなさい。ただし、AT は A における接線である。

(1)

(2)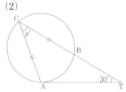

(3)

**3** 次の図の $x$ の値を求めなさい。

(1)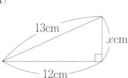

(2)

(3)

---

### 解答・解説

**2** (1) $x° = \angle\text{TAB}$ よって、

$x° = 180° - (180° - 85°) - 50°$
$= 180° - 95° - 50° = 35°$ $x = 35$

(2) $\angle\text{TAB} = y°$

$\angle\text{CAB} = \angle\text{CBA} = \dfrac{180° - y°}{2} = 90° - \dfrac{y°}{2}$

三角形の内角の和は $180°$ だから、△ABT において

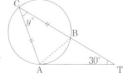

$y° + 30° + \{180° - (90° - \dfrac{y°}{2})\} = 180°$

よって、$\dfrac{3}{2}y° = 60°$ $y° = 40°$ $y = 40$

(3) AD は、中心 O を通る直径だから、$\angle\text{ACD} = 90°$ また、接線と弦のつくる角の定理より、$\angle\text{ACB} = \angle\text{TAB} = 65°$ $\angle\text{CDA} = \angle\text{CAT}' = 40°$
よって、$\angle\text{ECD} = 90° - 65° = 25°$
したがって、$x° = 180° - 25° - 40° = 115°$ $x = 115$

**3** (1) $13^2 = 12^2 + x^2$ より $x^2 = 13^2 - 12^2 = 25$ $x > 0$ だから $x = 5$（cm）

(2) $x^2 = 4^2 + 4^2 = 32$ $x > 0$ だから $x = 4\sqrt{2}$（cm）（別）$\dfrac{1}{\sqrt{2}}x = 4$ $x = 4\sqrt{2}$

(3) $\dfrac{\sqrt{3}}{2}x = 5$ $x = 5 \times \dfrac{2}{\sqrt{3}} = \dfrac{10\sqrt{3}}{3}$（cm）

④　$n$ が奇数ならば、$n^2-1$ は8の倍数であることを証明しなさい。

⑤　半径6cmの円Oの弦を AB とし、
中心Oと弦 AB との距離が4cmのとき、
弦 AB の長さを求めなさい。

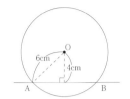

⑥　右の図で、△ABC の高さ AD と
面積を求めなさい。

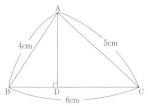

⑦　10以下の正の整数全体の集合 $U$ を全体集合とし、$A=\{x \mid x<5$、
$x \in U\}$、$B=\{1、2、3\}$ とするとき、次の集合を求めなさい。

（京阪電気鉄道）

(1) $\overline{A}$　　　(2) $\overline{B} \cap A$　　　(3) $\overline{A \cap B}$

### ◤ 解答・解説

④　$n=2k+1$（$k$ は整数）とおくと、$n^2-1=(2k+1)^2-1=4k(k+1)$
$k$ と $k+1$ のどちらかは偶数だから、$k(k+1)$ は偶数　よって $4k(k+1)$ は8の倍数
より $n^2-1$ は8の倍数である。

⑤　$AB=2x$ とおくと、$6^2=4^2+x^2$　　$x^2=6^2-4^2=20$
$x>0$ だから、$x=2\sqrt{5}$（cm）　　よって、$AB=2x=2 \times 2\sqrt{5}=4\sqrt{5}$（cm）

⑥　$BD=x$ とおくと、△ABD で、$AD^2=4^2-x^2\cdots$①　△ACD で、
$AD^2=5^2-(6-x)^2\cdots$②　　①、②より
$4^2-x^2=5^2-(6-x)^2$　　$16-x^2=25-(36-12x+x^2)$　　$12x=27$　　$x=\dfrac{9}{4}$

したがって、$AD=\sqrt{4^2-\left(\dfrac{9}{4}\right)^2}=\sqrt{\dfrac{175}{16}}=\dfrac{5\sqrt{7}}{4}$（cm）

求める面積は $6 \times \dfrac{5\sqrt{7}}{4} \times \dfrac{1}{2}=\dfrac{15\sqrt{7}}{4}$（cm²）

⑦　(1) $\{5、6、7、8、9、10\}$
(2) $\{4\}$　(3) $\{4、5、6、7、8、9、10\}$
〈解説〉右の図のようなベン図をかくとわ
かりやすい。

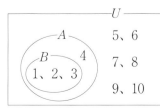

**8** 次の（　）にあてはまる数を書き入れなさい。

(1) 6と9の最小公倍数は（　　）である。

(2) 12と18の最大公約数は（　　）である。

(3) 64の平方根は（　　）と（　　）である。

(4) 直線 $Y = 2X + 1$ について、傾きは（　　）で、$y$ 切片は、（　　）である。また $X = 2$ のとき、$Y = $（　　）である。

**9** 次の問いに答えなさい。

(1) ある会社の本年度の社員数は1335名で、これを昨年と比べると男子は3％増加し、女子は4％減少したため、総数では昨年より10名増えたことになるという。昨年度の男子、女子の社員数をそれぞれ求めよ。

(2) 次の数列の（　）の中に相当する数字を記入せよ。

$$\frac{1}{2},\ \frac{3}{4},\ \left(\qquad\right),\ \frac{7}{16},\ \frac{9}{32}$$

(3) 下の図で AE = 5 cm、DE = 3 cm、CE = 5 cm とすれば、四角形 EDBC の面積はいくらか。

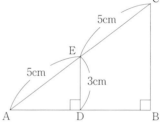

---

**解答・解説**

**8** (1) 18 (2) 6 (3) 8、−8 (4) 2、1、5

**9** (1) 昨年の男子を $x$ 名、女子を $y$ 名とすると、

$$\begin{cases} 1.03x + 0.96y = 1335 \\ x + y = 1325 \end{cases}$$

この連立方程式を解いて、男子 900 名、女子 425 名

(2) この数列の一般項を $n$ を用いて表すと、$\dfrac{2n-1}{2^n}$

よって、$n = 3$ のときは、$\dfrac{2 \times 3 - 1}{2^3} = \dfrac{5}{8}$

(3) 三平方の定理より、$AD^2 = 5^2 - 3^2 = 4^2$　　$AD = 4$

△ADE：△ABC $= 1^2 : 2^2 = 1 : 4$

ここで、△ADE $= 6$（cm$^2$）だから、△ABC $= 24$（cm$^2$）

したがって、四角形 EDBC $= 24 - 6 = 18$（cm$^2$）

要点のまとめ

## ●数と式　　$a$、$b$ は正の数、$m$、$n$ は実数。

(1) 指数法則

$$a^m a^n = a^{m+n} \qquad (a^m)^n = a^{mn}$$

$$\frac{a^m}{a^n} = a^{m-n} \quad a^0 = 1 \quad a^{-m} = \frac{1}{a^m}$$

(2) 平方根

① $\sqrt{a^2} = |a| = \begin{cases} a & (a \geq 0) \\ -a & (a < 0) \end{cases}$ ② 分母の有理化 $\dfrac{b}{\sqrt{a}} = \dfrac{b\sqrt{a}}{a}$

$$\frac{c}{\sqrt{a}+\sqrt{b}} = \frac{c(\sqrt{a}-\sqrt{b})}{(\sqrt{a}+\sqrt{b})(\sqrt{a}-\sqrt{b})} = \frac{c(\sqrt{a}-\sqrt{b})}{a-b}$$

(3) 乗法公式

① $(a+b)^2 = a^2 + 2ab + b^2$, $(a-b)^2 = a^2 - 2ab + b^2$

② $(a+b)(a-b) = a^2 - b^2$

③ $(x+a)(x+b) = x^2 + (a+b)x + ab$

④ $(ax+b)(cx+d) = acx^2 + (ad+bc)x + bd$

⑤ $(a+b)^3 = a^3 + 3a^2b + 3ab^2 + b^3$, $(a-b)^3 = a^3 - 3a^2b + 3ab^2 - b^3$

⑥ $(a+b)(a^2-ab+b^2) = a^3 + b^3$, $(a-b)(a^2+ab+b^2) = a^3 - b^3$

⑦ $(a+b+c)^2 = a^2 + b^2 + c^2 + 2ab + 2bc + 2ca$

(4) 因数分解の公式

① $ka - kb + kc = k(a-b+c)$ 　　② $a^2 + 2ab + b^2 = (a+b)^2$

③ $a^2 - 2ab + b^2 = (a-b)^2$ 　　④ $a^2 - b^2 = (a+b)(a-b)$

⑤ $x^2 + (a+b)x + ab = (x+a)(x+b)$

⑥ $acx^2 + (ad+bc)x + bd = (ax+b)(cx+d)$

⑦ $a^3 + b^3 = (a+b)(a^2-ab+b^2)$ 　⑧ $a^3 - b^3 = (a-b)(a^2+ab+b^2)$

(5) 複雑な式の因数分解

① 同じ形の式が含まれている 　⇨ 　１つの文字でおき換える。

② いくつかの文字を含んだ式 　⇨ 　１つの文字（次数の最も低い文字）に
ついて、降べきの順（次数の低くなる順→昇べきの順＝高くなる順）に整理する。

## ●方程式・不等式

(1) ２次方程式

① $f(x) = a(x-\alpha)(x-\beta)$ 　　$(a \neq 0)$ の解は $x = \alpha$、$\beta$

② $ax^2 + bx + c = 0$ $(a \neq 0)$ の解は $x = \dfrac{-b \pm \sqrt{b^2 - 4ac}}{2a}$（解の公式）。

③ 解と係数の関係

　2次方程式 $ax^2 + bx + c = 0$ の解を $\alpha$、$\beta$ とすると

$$\alpha + \beta = -\frac{b}{a}、\ \alpha\beta = \frac{c}{a}$$

(2) 解の判別

$ax^2 + bx + c = 0$ $(a \neq 0$、$a$、$b$、$c$ は実数) において $D = b^2 - 4ac$ を判別式という。

$D > 0 \longrightarrow$ 異なる2つの実数解をもつ　　$D = 0 \longrightarrow$ 重解をもつ

$D < 0 \longrightarrow$ 実数解をもたない（異なる2つの虚数解をもつ）

　☆　$ax^2 + 2b'x + c = 0$ のときは、$\dfrac{D}{4} = b'^2 - ac$ が使える。

(3) 連立方程式

① 代入法

　　一方の式を $x = \sim$、または $y = \sim$ の形に変形し、もう一方の式に代入する。

② 加減法

　　どちらかの文字の係数をそろえ、2式の両辺を加減する。

③ $A = B = C$ の形　$\begin{cases} A = B \\ B = C \end{cases}$ の形にして解く。

(4) 不等式の性質

ⅰ) $a > b$ のとき　①　$a + c > b + c$　②　$a - c > b - c$

ⅱ) $a > b$、$c > 0$ のとき

$$ac > bc、\frac{a}{c} > \frac{b}{c}$$

ⅲ) $a > b$、$c < 0$ のとき　$ac < bc$、$\dfrac{a}{c} < \dfrac{b}{c}$

# ●2次関数とグラフ

2次関数 $y = ax^2 + bx + c$ の最大・最小

① 定義域に制限がない場合の最大・最小

　$y = a(x - h)^2 + k$ の形に変形する。

　$a > 0$ のとき、$x = h$ で最小値 $k$

　（最大値は存在しない）。

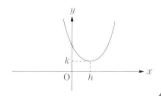

$a < 0$ のとき、$x = h$ で最大値 $k$

（最小値は存在しない）。

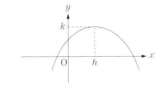

② 定義域に制限がある場合の最大・最小

$y = a(x-h)^2 + k$ の形に変形して、グラフをかき、頂点、定義域の両端の $y$ の値を調べる。

☆ 区間 $a \leqq x \leqq b$ のように両端が含まれる場合には、必ず最大値、最小値ともに存在する。

## ●三角関数

三角比

① P $(x, y)$、OP $= r$、OP が $x$ 軸となす角を $\theta$ とすると、

$$\sin\theta = \frac{y}{r}、\cos\theta = \frac{x}{r}、\tan\theta = \frac{y}{x}$$

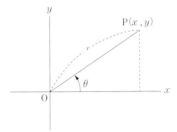

② 三角関数の相互関係

$$\sin^2\theta + \cos^2\theta = 1、\quad \tan\theta = \frac{\sin\theta}{\cos\theta}、1 + \tan^2\theta = \frac{1}{\cos^2\theta}$$

③ いろいろな角の三角関数

$$\sin(\theta + 360°) = \sin\theta、\cos(\theta + 360°) = \cos\theta、\tan(\theta + 360°) = \tan\theta$$

$$\sin(-\theta) = -\sin\theta、\cos(-\theta) = \cos\theta、\tan(-\theta) = -\tan\theta$$

$$\sin(\theta + 180°) = -\sin\theta、\cos(\theta + 180°) = -\cos\theta、\tan(\theta + 180°) = \tan\theta$$

$$\sin(\theta + 90°) = \cos\theta、\cos(\theta + 90°) = -\sin\theta、\tan(\theta + 90°) = -\frac{1}{\tan\theta}$$

④ 加法定理

$$\sin(\alpha + \beta) = \sin\alpha\cos\beta + \cos\alpha\sin\beta$$
$$\sin(\alpha - \beta) = \sin\alpha\cos\beta - \cos\alpha\sin\beta$$
$$\cos(\alpha + \beta) = \cos\alpha\cos\beta - \sin\alpha\sin\beta$$
$$\cos(\alpha - \beta) = \cos\alpha\cos\beta + \sin\alpha\sin\beta$$

$$\tan(\alpha + \beta) = \frac{\tan\alpha + \tan\beta}{1 - \tan\alpha\tan\beta}$$

$$\tan(\alpha - \beta) = \frac{\tan\alpha - \tan\beta}{1 + \tan\alpha\tan\beta}$$

# ●図形の性質

(1) 円周角の定理

① 同じ弧に対する円周角は等しい。

② 半円の弧に対する円周角は直角。

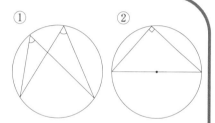

(2) 接線と弦のつくる角の定理

点Aでの接線をATとすると∠TAB＝∠ACB ＝∠AC'B

(3) 三角形の重心

重心は中線を2：1に分ける。

$$\left.\begin{array}{l} AG：GM \\ BG：GL \\ CG：GN \end{array}\right\} = 2：1$$

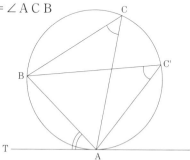

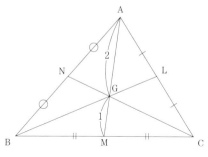

(4) 三平方の定理

$c$ を斜辺とする直角三角形で

$a^2 + b^2 = c^2$

が成り立つ。

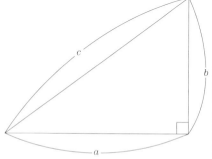

# 英語の常識問題

## 傾向と対策

　国際化が進み、私たちの周囲でも英語圏の人たちに接する機会が多くなってきています。企業も国際人として、語学力の高い人材を求めているのが現実です。近年は英語の出題量も増えていますが、英・和訳を中心に、単語、文法に集中しているようです。長文読解にしても、基礎的なことをしっかりマスターしていれば大丈夫です。辞書を片手に積極的に復習することが重要です。

# 英単語の問題

**1** （ ）内の意味にあうように、示されている最初のつづり字に従って、適する語を書きなさい。

(1) c_____ a disease（病気にかかる）

(2) k_____ a diary（日記をつける）

(3) m_____ a fire（火をおこす）

(4) m_____ a train（列車に乗り遅れる）

**2** 次の各組の語のうち、つづりが誤っているものを1つ選び、記号で答えなさい。

(1) ㋐ hamburger ㋑ kitchen ㋒ menu ㋓ vegitable

(2) ㋐ automobile ㋑ fashion ㋒ unbrella ㋓ leisure

(3) ㋐ campus ㋑ grammer ㋒ guitar ㋓ mathematics

(4) ㋐ bycicle ㋑ soccer ㋒ stadium ㋓ yacht

**3** （ ）内の語を適する形にかえて、____に書きなさい。

(1) A monkey has no _____ in climbing trees. (difficult)

(2) Your early _____ is requested. (arrive)

(3) The old woman is _____ of other people's happiness. (envy)

(4) We need your _____ for the things we have bought. (receive)

**4** 次の単語の意味を書きなさい。

〈愛知県風工業ほか〉

① invention（　　） ② add（　　） ③ tool（　　）

④ suddenly（　　） ⑤ experiment（　　） ⑥ novelty（　　）

⑦ ignorance（　　） ⑧ harmony（　　） ⑨ glory（　　）

⑩ flood（　　） ⑪ demand（　　） ⑫ employment（　　）

**5** 次の各組の文が同じ意味になるように、〔 〕内から適する語を選びなさい。

(1) Where did the accident happen?

Where did the accident（　　　）place?

(2) She will phone to me tomorrow.

She will（　　　）me up tomorrow.

(3) Please examine your paper carefully.

Please （　　　　　） over your paper carefully.

(4) Don't abandon it till the last.

Don't （　　　　　） it up till the last.

(5) He will recover from the shock of his father's death.

He will （　　　　　） over from the shock of his father's death.

〔 give,　look,　take,　get,　call 〕

**解答・解説**

**1**　(1) catch　(2) keep　(3) make　(4) miss

**2**　(1)㋤　(2)㋒　(3)㋑　(4)㋐　〈解説〉 vegetable（野菜）／umbrella（傘）／grammar（文法）／bicycle（自転車）

**3**　(1) difficulty　(2) arrival　(3) envious　(4) receipt　〈解説〉 (1)「猿は何の苦もなく木に登ります」　(2)「あなたは早く到着するよう求められています」 英語では無生物を主語にした文がよく使われる。日本語に訳すときは不自然にならないように訳すことに注意。　(3)「その年をとった女性は、ほかの人々の幸せをねたんでいる」 名詞 envy（嫉妬、ねたみ）→形容詞 envious（嫉妬深い、うらやましそうな）　(4)「私たちが買ったものの領収証が必要です」 receive（受け取る）→receipt（レシート）

**4**　①発明　②加える　③道具　④突然に　⑤実験　⑥目新しさ　⑦無知　⑧調和　⑨栄光　⑩洪水　⑪要求（する）、需要　⑫雇用

**5**　(1) take　(2) call　(3) look　(4) give　(5) get　〈解説〉 (1)「その事故はどこで起こったのですか」 take place「起こる」　(2)「彼女は明日私に電話をしてくるでしょう」 call ～ up「～に電話をする」　(3)「あなたの書類を念入りに調べてください」 look over「目を通す、調査する」　(4)「最後まであきらめてはいけません」 give up「あきらめる、やめる」　(5)「彼は父の死の衝撃から立ち直るでしょう」 get over「立ち直る、回復する」

**6** 次の各問いに答えなさい。 (明治安田生命)

(1) 次の反対語を書きなさい。

　㋐　happy（　　　）　㋑　sharp（　　　）　㋒　income（　　　）

(2) 次の（　　　）を埋めなさい。

　㋐　more（　　　）less　（多かれ少なかれ）

　㋑　（　　　）purpose　（わざと）

　㋒　catch（　　　）with　（～に追いつく）

(3) 次の単語を（　　　）の指示に従って書き直しなさい。

　㋐　poor（反対語）（　　　　）　㋑　drink（過去分詞）（　　　　）

　㋒　use（形容詞）（　　　　）　㋓　hero（女性形）（　　　　）

**7** 次の各文の（　）に最も適する語を１つずつ選び、記号で答えなさい。

(1) I'm afraid that, you'll have to use the stairs. The elevator is out of（　　）.

　㋐　sight　㋑　work　㋒　order　㋓　place

(2) A ceremony was held in（　　）of the dead statesman.

　㋐　favor　㋑　honor　㋒　purpose　㋓　virtue

**8** 次の単語の正しいつづりを右から選びなさい。 (野沢北ほか)

① カーテン　㋐　curtain　㋑　certain　㋒　cartain　㋓　cartin

　　　　　　㋔　curtin

② アクセサリー　㋐　accessarry　㋑　accessoly　㋒　accessaly

　　　　　　㋓　accessory　㋔　accessally

③ キャンペーン　㋐　campaign　㋑　campaine　㋒　canpein

　　　　　　㋓　canpeigne　㋔　campein

## 解答・解説

**6** (1)㋐ unhappy　㋑ dull, blunt　㋒ outgo　(2)㋐ or　㋑ on　㋒ up
〈解説〉(1)㋐否定の接頭辞 un- をつける。否定の接頭辞には dis-, mis-, il-, im- などがある。　㋑「鋭い」⇔「鈍い」　㋒「収入」⇔「支出、出費」
(3) ㋐ rich　㋑ drunk　㋒ used, useful　㋓ heroine　〈解説〉㋐「貧しい」⇔「豊かな」　㋑ drink-drank-drunk　㋒ use（使う）→used（使用された、中古の）／useful（役に立つ）　㋓ heroine（ヒロイン、女主人公）[hérouin] 発音に注意。

**7** (1) ㋒　(2) ㋑　〈解説〉(1)「恐れいりますが、あなたは階段を使わなければなりません。エレベーターは故障しています」　(2)「亡くなった政治家に敬意を表し儀式が行なわれた」　イディオム〔連語〕は出題率が高いので、整理して１つずつしっかり覚えておくこと。

④　コーラス　　　⑦　calous　　⑦　colous　　⑦　callus　　㉒　chorus

　　　　　　　　㉒　chorous

⑤　カレンダー　　⑦　calender　　⑦　calendar　　⑦　carendar

　　　　　　　　㉒　callender　　㉒　carender

⑥　キャベツ　　　⑦　cabage　　⑦　cavvage　　⑦　cavage

　　　　　　　　㉒　cabbige　　㉒　cabbage

**9**　次の１～５の各組の単語について、最も強く発音する部分の母音の発音がすべて同じ時は○、すべて異なるときは×、１つだけ異なるときは、その語の記号（⑦、⑦、⑦）を答えなさい。

(1)　⑦　an-cient　　　⑦　per-cent　　　⑦　scen-er-y

(2)　⑦　pro-gram　　　⑦　re-mote　　　⑦　lone-ly

(3)　⑦　in-stru-ment　⑦　re-li-gion　　⑦　com-ic

(4)　⑦　par-a-dise　　⑦　re-frig-er-a-tor　⑦　sta-di-um

(5)　⑦　fa-vor-ite　　⑦　mes-sage　　　⑦　head-ache

**10**　次の単語を英語に直しなさい。　　　　　　　　（東宝、松坂屋ほか）

①　映画と芝居　②　電　話　③　野　球　④　アナウンサー

⑤　銀行と信用　⑥　テレビ　⑦　９　月　⑧　国際連合

⑨　戦争と平和　⑩　万年筆　⑪　740　　⑫　野菜と果物

## 解答・解説

**8**　①－⑦　②－㉒　③－⑦　④－㉒　⑤－⑦　⑥－㉒　〈解説〉　カタカナ語〔外来語〕は、正しいつづりを問う問題がよく出題されるが、それぞれの発音・アクセントもきちんと覚えておくこと。日本語化された発音には、特に注意。curtain [kə́:tn]／accessory [æksésəri]／campaign [kæmpéin]／chorus [kɔ́:rəs]／calendar [kǽləndər]／cabbage [kǽbidʒ]

**9**　(1)－×　(2)－○　(3)－⑦　(4)－×　(5)－⑦　〈解説〉(1) ⑦ [ei] ⑦ [e] ⑦ [i:] (2) ３つとも [ou] (3) ⑦のみ [ɑ/ɔ]、他は [i] (4) ⑦ [æ] ⑦ [i] ⑦ [ei] (5) ⑦のみ [ei]、他は [e]

**10**　① movie〔cinema〕and play　② telephone　③ baseball　④ announcer　⑤ bank and credit　⑥ television〔TV〕　⑦ September　⑧ The United Nations　⑨ war and peace　⑩ fountain pen　⑪ seven hundred and forty　⑫ vegetable and fruit

# 英文和訳の問題

**1** 次の英文を日本語に訳しなさい。

Although he was an extremely shy young man, he hoped for a chance to meet a pretty girl when he came to live in Paris. He soon noticed one, who lived nearby.

**2** 次の英文を日本語に訳しなさい。

Visitors to Japan are often surprised to discover how interested Japanese people are in most kinds of sports.

**3** 次の英文を日本語に訳しなさい。

"My passport ! What have I done with my passport? Good heavens ! I'm done for ! Ah ! Here it is. What a relief !"

**4** 次の英文を日本語に訳しなさい。

(1) I might as well meet a lion as meet such a man as he.

(2) The more you learn, the wiser you become.

(3) He is well aware of the danger.

(4) The old man turned out my uncle.

(5) She studied very hard, otherwise she would have failed.

**5** 次の英文を日本語に訳しなさい。

In those days many people were so afraid to have their teeth pulled that they would suffer for years before going to a dentist.

**6** 次のA～Dの各文を2人の会話が成り立つように並べ替えたものとして、最も適切なのはどれか。

A：ABC corporation. May I help you?

B：Hi, this is John Baker from XYZ corporation.

C：Yes. May I speak to Julia Kay, please?

D：This is she speaking.

(1) A→B→C→D (2) A→C→D→B (3) B→C→D→A
(4) C→B→D→A (5) D→A→C→B

**7** 次の英文の内容と一致するものはどれか。

My grandfather, who is ill, will be able to go out into the garden at least if the weather gets warm. For some time, however, he will not be able to do this, because it is still terribly cold.

(1) 病気の祖父は、まだ寒さが厳しいので当分庭にも出られない。

(2) 祖父の病気は暖かくなるときっと治るに違いない。

(3) 祖父の病気は寒くなるとますます悪くなるようだ。

(4) 祖父は暖かくなってきたのに床に伏したままである。

(5) 祖父は庭に出られるようになったので、病気の心配はない。

### 解答・解説

　英文和訳の問題では、正確な構文の把握が最も重要なポイントとなる。幅広い文法の知識が必要となるが、特に注意したい点は、①関係代名詞の先行詞や代名詞の把握、②特殊構文（強調・倒置・省略・挿入など）、③時制や数などである。

**1** 　彼は非常に内気な若者だったが、パリに住むようになったとき、かわいい女の子に出会う機会を望んだ。間もなくある女の子に気づいたが、彼女はすぐ近くに住んでいた。　〈解説〉 関係詞 who の前にコンマ（,）があるので、関係代名詞の非制限的用法。先行詞の内容を補足的に説明する用法。

**2** 　日本を訪れる人たちは、日本人がほとんどのスポーツに強い関心を持っていることを知って、驚くことがよくある。　〈解説〉 名詞節を導く how の訳し方に注意。how 以下をひとまとまりにして訳すこと。

**3** 　(あれ、) 私のパスポートは！　どうしちゃったんだろう。やれやれ！　もうおしまいだ！　あれ！　ここにあった。ホッとした！

**4** 　(1) 彼のような男に会うくらいなら、ライオンに会ったほうがまだましだ。 (2) あなたが学べば学ぶほど、より賢くなります。　(3) 彼はその危険を十分承知している。　(4) その老人は私のおじだとわかった。　(5) 彼女は一生懸命に勉強した。さもなければ彼女は失敗しただろう。

**5** 　当時多くの人々は歯を抜かれることを大変恐れたので、歯医者に行くまでに何年もの間苦しんだものだった。　〈解説〉〈so ～ that…〉「とても～なので…」を使った文と見抜くのが重要なポイント。この助動詞 would は過去の習慣を表し、「よく～したものだ（＝used to）」と訳す。

**6** 　(2)　　**7** 　(1)

**8** 次の英文の下線部を日本語に訳しなさい。

To pass beyond the Pillars of Hercules, that is, ① to sail out of the Straits of Gibraltar, was in the ancient world, long considered as a most wonderful and dangerous exploit of navigation.

It was late before even the Phoenicians and Carthaginians, ② the most skilful navigators and ship-builders of those old time, attempted it, and ③ they were for a long time the only nations that did attempt it.

**9** 次の英文を日本語に訳しなさい。

One day Mr. Hyena was very hungry indeed. And so he went out to look for food. As he was going round and about the countryside, he smelt some appetizing smell of roasting meat. The hyena was not sure what side this smell of meat was coming from. He walked on and on following a path that led towards the thick forest beyond. He thought : "This hunger will kill me. My stomach does pain very much."

**10** 次の英文の下線部①、②を日本語に訳しなさい。

① I am very sorry to know that you think that as one grows older the affections seem less important. I find myself that the reverse is true. Young people are interested only in themselves and they care only for people who affect them in the way they like to be affected. ② As one

### 解答・解説

**8** ①ジブラルタル海峡を通過して外洋へ出ること。 ②そういう古い時代の最も熟達した航海士であり造船工。 ③彼らは、長い間そうすることを試みた唯一の民族でした。 〈解説〉①不定詞の名詞的用法。that is（つまり、すなわち）で、前の文を言いかえている。 ③ for a long time で「長い間」。that 以下の文が the only nations を修飾している。

**9** ある日、ハイエナ氏はひどくお腹がすいていました。だから彼は食べ物を探しに出かけることにしました。田園のあたりを歩き回っていると、何かの肉を焼いているような食欲をそそるにおいがしてきました。この肉のにおいがどちらの方からただよってくるのか、ハイエナにはわかりませんでした。彼はどんどん歩いていって、はるかかなたの密林の方へと続く道をたどっていきました。「こんなに空腹のままでは、私は死んでしまうだろう。お腹がひどく痛い」と彼は思っていました。 〈解説〉〈look for ～〉は「～を探す」。〈As ～〉の as は「～するときに（＝when）」の意味。This hunger…の文は、名詞 hunger（飢え、空腹）が主語の文なので訳し方に注意すること。

grows older one clings more and more to the few genuine affections which it is possible to have, and one does not become any more indifferent or insensitive to difficulties in the way of affection.

**11** 次の日本語を（ ）の中の英単語を並べかえて英文にして、その順番を記号で答えなさい。 〈トヨタ自動車〉

(1) もっとゆっくり話していただけませんか。

（⑦ more ④ you ⑦ speak ④ would ⑦ slowly)?

(2) あなたにお会いできてうれしいです。

（⑦ am ④ meet ⑦ I ④ to ⑦ glad ⑪ you).

(3) 郵便局へ行く道を教えてください。

（⑦ how ④ tell ⑦ could ④ you ⑦ get to ⑪ the ⑮ me ⑦ post office ⑰ to）?

(4) 自動車を作っている会社を見学したことがありますか。

（⑦ ever ④ where ⑦ have ④ visited ⑦ they ⑪ you ⑮ a factory ⑦ cars ⑰ are ⑳ making）?

(5) どうかしましたか。

（⑦ you ④ what ⑦ the ④ with ⑦ is ⑪ matter）?

---

**解答・解説**

**10** ①「年をとるにしたがって愛情なんてだんだん大切ではなくなっていくようだ」と、あなたが考えているのを知って、私はとても残念に思います。まったく逆であると、私自身は考えています。若い人というものは自分のことだけにしか関心がないものですし、また自分が望むように影響を与えてくれる人たちしか好きにならないようです。　②人というものは年をとるにつれて、それがほんのわずかだったとしても、自分がもつことのできる真の愛情に、ますますこだわるようになるのです。愛情の障害になるものに対して無関心になったり鈍感になったりするようには、人は決してならないものなのです。

〈解説〉　① that 以下の文章を一まとまりにして、「～（that 以下）は残念だ」と訳す。　② which 以下の文が先行詞 affections を修飾している。one は「一般の人」を表す。

**11** (1) ④④⑦⑦⑦（Would you speak more slowly?）　(2) ⑦⑦⑦④④⑪（I am glad to meet you.) (3) ⑦④④⑮⑦⑦⑦⑦⑦（Could you tell me how to get to the post office?) (4) ⑦⑪⑦④⑮④⑦⑰⑳⑦（Have you ever visited a factory where they are making cars?) (5) ④⑦⑦⑪④⑦（What is the matter with you?)

# 和文英訳の問題

**1** 日本語の意味を表す英文になるように、（ ）内の語（句）を並べかえなさい。

(1) そのピアノはとても重かったので、だれも動かすことができなかった。

The piano (anybody / heavy / to move / was / too / for).

(2) 今夜は外に食事に出る気がしない。

I don't (this evening / going out / a meal / like / for / feel).

(3) 気分がよくないのなら、今日は仕事に行かないほうがよい。

If you don't feel well, (go / not / to / had / work / better / you / today).

(4) こういう古い飾りには、ほとんど価値がない。

These (value / ornaments / old / little / are / of).

(5) どうして宿題を手伝ってくれないの。

I don't see (help / my homework / you won't / me / why / with).

**2** 次の日本語の意味を表す適当な英語1語を、（ ）に入れなさい。

（東映、愛知機械工業ほか）

(1) 私はリンゴもミカンも両方好きです。

I like （ ） apples and oranges.

(2) 彼は、俳優ではなく監督です。He is not an actor （ ） a director.

(3) 折り返し彼女からあなたに電話させます。

I will （ ） her call you back.

(4) 太陽は東から昇る。 The sun （ ） in the east.

(5) お金があれば、洋行したいのですが。

If I （ ） rich, I would go abroad.

(6) きょうは、たいへん楽しかった。

We've （ ） ourselves very much today.

**3** 次の日本語を、与えられた書き出しに続けて英文に訳しなさい。

(1) 何か聞きたい質問はありますか。

Do you have any _____ ?

(2) パリでは私のフランス語は通じなかった。

　　　　In Paris I couldn't make _____.

(3)　6時にホテルに車で迎えに来てください。

　　　　Please pick _____.

(4)　テレビを見るよりは小説(novels)を読みたい。

　　　　I'd rather _____.

(5)　長い間待たせてすみませんでした。

　　　　I'm sorry to _____.

## 解答・解説

**1**　(1) (The piano) was too heavy for anybody to move.

　　(2) (I don't) feel like going out for a meal this evening.

　　(3) (If you don't feel well,) you had better not go to work today.

　　(4) (These) old ornaments are of little value.

　　(5) (I don't see) why you won't help me with my homework.

〈解説〉 (1)「あまりに〜で…できない」は、to 不定詞を含む慣用表現〈too 〜 to…〉を使う。　　(2)〈feel like 〜 ing〉で「〜したい気がする」の意味。(3)〈had better＋原形不定詞〉で「〜したほうがよい、〜すべきだ」。　　(4) 形容詞 little は「ほとんどない」という否定的な意味を表す。　　(5) why は間接疑問の名詞節を導いて「なぜ〜であるのか」の意味を表す。

**2**　(1) both　(2) but　(3) have　(4) rises　(5) were　(6) enjoyed

〈解説〉 (1)「A も B も（両方とも）」は〈both A and B〉で表す。　　(2)「〜ではなくて…」は〈not 〜 but…〉で表す。　　(3)「…に〜してもらう、…に〜させる」は使役動詞 have＋人（目的語）＋動詞の原型で表せる。　　(4) 一般的事実や不変の真理を表す文では、動詞は現在形を使う。　　(5) 現在の事実に反する「もし〜ならば、…だろうに」は仮定法過去の文で表す。　　(6)「楽しい思いをする」は〈enjoy oneself〉で表す。

**3**　(1) (Do you have any) questions to ask?

　　(2) (In Paris I couldn't make) myself understood in French.

　　(3) (Please pick) me up at the hotel at six o'clock.

　　(4) (I'd rather) read novels than watch TV.

　　(5) (I'm sorry to) have kept you waiting so long.

〈解説〉 (1)「〜に質問をする、尋ねる」は〈ask 〜 a question〉。to 不定詞の使い方に注意。　　(2)「自分の意思を伝える、わからせる」は〈make oneself understood〉で表す。　　(3)「(車に)乗せる、拾う」は pick up を使う。〈pick＋代名詞＋up〉の語順に注意。　　(4)「どちらかと言えば…したい」は〈would rather＋動詞＋than 〜〉で表す。　　(5)「ずっと（ある状態に）しておく」は〈keep＋O＋〜 ing〉。現在完了形を使う。

**4** 次の日本語を英文にしなさい。

(1) 今日は水曜日です。　(2) 私はあなたより背が高い。

(3) 私は、できるだけのことをしてみよう。

(4) 彼は、仕事で大阪へ行った。

(5) その知らせを聞いて、彼女が驚いた。

**5** 次の日本語を、英文にしなさい。

(1) 泳ぎ方を教えてくれませんか。　(2) 彼女は英語の勉強にいそがしい。

(3) 誰が彼女の家を訪れたと思いますか。

(4) 彼はまるでその本を読んだことがあるかのように話す。

(5) 顔色が悪いようだけど、どうかしたの。

**6** 次の各日本語の意味にあうように、下の英単語を並べかえて記号で答えなさい。

(1) クマは腹がすいたので、村に出てきたらしい。

　⑦ to　④ seems　⑦ the bear　④ our village　⑦ brought
　⑦ hunger　⑤ to have

(2) 私は車に足をひかれた。

　⑦ my leg　④ had　⑦ over　④ a car　⑦ by　⑦ run　⑤ I

(3) 多忙で正直な生活を送ることは、結構なことです。

　⑦ is　④ to　⑦ honest　④ a　⑦ good　⑦ live　⑤ life
　⑦ busy　⑦ it　⑦ and

## 解答・解説

**4** (1) It is Wednesday today.　(2) I am taller than you.　(3) I will try to do my best.　(4) He went to Osaka on business.　(5) She was surprised to hear the news.

**5** (1) Will you show me how to swim?　(2) She is busy studying English.　(3) Who do you think called at her house?　(4) He speaks as if he had read the book.　(5) You look pale. What's wrong with you?　〈解説〉(1)「〜の仕方、方法」は〈how to 〜〉。　(2)「〜で忙しい」は〈busy 〜 ing〉。　(3) do you think を入れる位置に注意。　(4)「まるで〜であるかのように」は、〈as if ＋仮定法過去完了〉で表す。　(5)「〜に見える」は look を使う。

**6** (1) ⑦④⑤④⑦⑦④　(2) ⑤④⑦⑦④⑦④　(3) ⑦⑦④⑦⑦④⑦⑤⑦⑤　〈解説〉(1) <u>Hunger</u> seems to have brought the bear to our village. 無生物主語の文。　(2) I <u>had</u> my leg <u>run over</u> by a car.〈have ＋ O ＋過去分詞〉で「〜される」。　(3) <u>It is</u> good <u>to</u> live a busy and honest life.〈It is 〜 to…〉の構文を使う。

# 英文法・その他の問題

次の各文の（　）に適する語（句）を１つずつ選び、記号で答えなさい。

(1)  Mariko（　　　　）just after she graduated from college.
　　⑦　became marriage　　④　got married　　⑦　got marry
　　⑤　made marrying

(2)  Everyone is more or（　　　　）interested in arts.
　　⑦　less　　④　most　　⑦　not　　⑤　better

(3)  I don't want this one, show me（　　　　）.
　　⑦　other　　④　ones　　⑦　another　　⑤　others

日本語の意味にあうように、次の英文の（　）に適する語を書きなさい。

(1)  彼はけっして約束を破りません。
　　He never（　　　　）to keep his words.

(2)  あなたがそのことを後悔するときがくるだろう。
　　The time will come（　　　　）you'll be sorry for it.

(3)  私たちは霧のために非常にゆっくりと車を進めなければならなかった。
　　We had to drive very slowly（　　　　）account of the fog.

## ▌解答・解説

**1**  (1)④　(2)⑦　(3)⑦　〈解説〉(1)「マリコは大学を卒業するとすぐに結婚をしました」 get married で「結婚する」。　　(2)「多かれ少なかれ、誰でも芸術には関心があります」 more or less（多かれ少なかれ、多少なりとも）は重要なイディオム。*cf.* sooner or later「遅かれ早かれ」　　(3)「これはいりません。ほかのを見せてください」不定代名詞 another を使う。

**2**  (1) fails　(2) when　(3) on　〈解説〉(1) never fail to ～で「必ず～する」の意味を表す。　　(2)関係詞 when 以下の文が time にかかる文をつくる。
(3) account は「計算、根拠」。on account of ～で「～の理由で、～のために」。

**3** 各組の文がほぼ同じ意味を表すように、（　　）に適する語を書きなさい。

(1) He said to her, "Are you all right?"

He asked her if (　　　　) (　　　　) all right.

(2) "Will it be fine tomorrow?" "I'm afraid it won't."

"Will it be fine tomorrow?" "I'm afraid (　　　　)."

(3) His speech is not only pleasing but instructive.

His speech is (　　　　) pleasing (　　　　) instructive.

(4) If you take this medicine, you will feel better.

This medicine will (　　　　) you feel better.

**4** 次の文の（　　）に適当な前置詞を入れなさい。 〔協和醗酵，ほか〕

(1) Happiness consists (　　　　) contentment.

(2) This box is made (　　　　) wood.

(3) He robbed them (　　　　) all they had.

(4) You must come back home (　　　　) five.

(5) It is very kind (　　　　) you to say so.

(6) I am fond (　　　　) music.

(7) He seized me (　　　　) the hand.

(8) I waited (　　　　) him till six.

(9) Life is compared (　　　　) a voyage.

---

**■／解答・解説**　　　　　　　　　　　　　　　　　　⟶

**3** (1) she was　(2) not　(3) both, and　(4) make　〈解説〉(1)「彼は彼女に大丈夫かと尋ねた」直接話法を間接話法に書きかえるときには、伝達される文の主語・動詞の形に注意すること。　(2)「明日は晴れるでしょうかね」「よくないと思いますよ」省略して使うことが多い。　(3)「彼のスピーチは愉快なだけでなく、ためになる」〈not only A but (also) B〉は「AだけでなくBも」の頻出相関語句。(=〈B as well as A〉も覚えておきたい。)　(4)「この薬を飲めば、気分がよくなるでしょう」使役動詞 make（〜させる）を使う。

**4** (1) in　(2) of　(3) of　(4) by　(5) of　(6) of　(7) by　(8) for　(9) to
〈解説〉「前置詞」は動詞によってとるものが決まっていて、イディオムとしてまとめて覚えなければならないものが多い。

**5** 次の英文に該当することわざを右から選びなさい。 〔いすゞ自動車、他〕

(1) It is no use crying over spilt milk.　　㋐歳月人を待たず。

(2) After a storm comes a calm.　　㋑三人よれば文殊の智恵。

(3) Two heads are better than one.　　㋒待てば海路の日和あり。

(4) Time and tide wait for no man.　　㋓覆水盆に返らず。

**6** 次の文の文法的な誤りを正しなさい。

(1) The number of students in our class are limited to 50.

(2) Every mother love her children.

(3) Every day we receive many information from TV.

(4) You are dangerous to go alone at night.

**7** BのAに対する最も適切な応答文を1つ選び、記号で答えなさい。

(1) A：Do you mind opening the window?　　B：(　　　)

　　㋐　Yes, please.　㋑　Never mind.　㋒　That's right.

　　㋓　Of course, not.

(2) A：(Handing a menu to B)　　What will you have?　　B：(　　　)

　　㋐　That's good idea.　㋑　Excuse me.　㋒　No kidding.

　　㋓　Anything will do.

---

### 解答・解説

**5** (1)㋓　(2)㋒　(3)㋑　(4)㋐

**6** (1)are→is　(2)love→loves　(3)many→much　(4)You are dangerous→It is dangerous for you　〈解説〉　(1)「私たちのクラスの学生の数は、50人と限定されています」。　(2)「すべての母親は自分の子供を愛しています」〈every＋名詞〉は単数扱い。　(3)「私たちは毎日テレビから多くの情報を得ています」不可算名詞には much を使う。　(4)「あなたが夜1人で出かけるのは危険です」〈It is ～ for － to…〉＝「－が…するのは～だ」の構文を使って表す。「for － 」が不定詞の意味上の主語となる。

**7** (1)㋓　(2)㋓　〈解説〉　(1)A「窓を開けてもよろしいですか」B「もちろんです。どうぞ」　mind（気にする）を使った疑問文の答え方には注意。「どうぞ」は否定形を使う。　(2)A「（メニューをBにわたして）あなたは何にしますか」B「何でもかまいません」肯定文で使う anything は「何でも、どんなものでも」の意味。

8  次の単語を例にならって、空欄をうめなさい。　　　　　　　　〈エンゼルほか〉

例　peace　　　　（　平　和　）の形容詞形→（ peaceful ）
① sleepy　　　　（　　　　　）の 動 詞 形→（　　　　　　）
② strength　　　（　　　　　）の形容詞形→（　　　　　　）
③ lucky　　　　（　　　　　）の 反 意 語→（　　　　　　）
④ easy　　　　　（　　　　　）の 名 詞 形→（　　　　　　）
⑤ many　　　　　（　　　　　）の 最 上 級→（　　　　　　）

9  次の１〜５の対話の中には誤りが１カ所ずつある。例にならってそれ
を訂正し、正しい語を書きなさい。

（例）A：Whose book is this?
　　　B：It is my.　　　　　　　（解答　B：my→mine）

(1) A：When does school begin in Japan?
　　B：It begins from April.
(2) A：I don't like that story he wrote.
　　B：I don't like it too.
(3) A：How much did you wait for him?
　　B：About an hour. I was tired when he came at last.
(4) A：I'm sorry, but I can't find the book I lent from you.
　　B：Don't worry about it. I don't need it.
(5) A：What do you call your dog?
　　B：Lassy. It's the name taking from an American TV movie.

## 解答・解説

8  ①眠い・sleep　②力・strong　③幸運な・unlucky　④たやすい・ease
⑤多くの・most　〈解説〉　語彙力をつけるためには、同意語・反意語・派生語
などを系統的に覚えておくこと。

9  (1)（B：from→in）(2)（B：too→either）(3)（A：much→long）(4)（A：
lent→borrowed）(5)（B：taking→taken）
〈解説〉(1)日本語では「４月から」というので from としたくなるが、英語では
「４月に」と考えるので、月の前の前置詞に in を使う。(2)否定の内容で「〜も
またない」は either とすべきである。(3)期間は How long 〜？となる。
(4) lent は lend「〜を貸す」の過去形。ここでは「借りた本」となるはず。
(5) name を修飾する形容詞的用法の分詞だが、＝which was taken…の意味にし
ないと文意が通じない。

# 英 語 要点のまとめ

## 1 カタカナ語とアクセント

アクセサリー （accéssory）　　　デリケート （délicate）
アベレージ （áverage）　　　　　パターン （páttern）
イメージ （ímage）　　　　　　　バランス （bálance）
インターバル （ínterval）　　　　バロメーター （barómeter）
エスニック （éthnic）　　　　　　ペナルティー （pénalty）
オーケストラ （órchestra）　　　ボランティア （voluntéer）
カレンダー （cálendar）　　　　　マネージャー （mánager）
デモクラシー （demócracy）　　　ミュージシャン （musícian）

## 2 カタカナ語のつづり

アルコール （alcohol）　　　　　バケツ （bucket）
アレルギー （allergy）　　　　　バレーボール （volleyball）
キャベツ （cabbage）　　　　　　ビフテキ （beefsteak）
サッカー （soccer）　　　　　　　ヨット （yacht）
スケジュール （schedule）　　　　リズム （rhythm）
チョコレート （chocolate）　　　　レジャー （leisure）
デザイナー （designer）　　　　　レストラン （restaurant）
バーゲン （bargain）

## 3 現代キーワード

| 酸性雨 | （acid rain） |
| 熱帯雨林 | （tropical rain forest） |
| 大気汚染 | （air pollution） |
| 産業廃棄物 | （industrial waste） |
| 環境ホルモン | （environmental hormone） |
| 温室効果 | （greenhouse effect） |
| 貿易赤字 | （trade deficit） |
| 貿易摩擦 | （trade friction） |
| 開発途上国 | （developing countries） |
| 先進工業国 | （industrialized nations） |
| 経済成長率 | （economic growth rate） |
| 失業率 | （jobless rate） |

不況　　　　　　（depression）

国内需要　　　　（domestic demand）

核兵器　　　　　（nuclear weapon）

核軍縮　　　　　（nuclear disarmament）

民族紛争　　　　（ethnic conflict）

難民　　　　　　（refugee）

人種差別　　　　（racial discrimination）

高齢化社会　　　（aging society）

社会福祉　　　　（social welfare）

放送衛星　　　　（broadcasting satellite）

4　注意すべき派生語

succeed→success（成功）、succession（連続）

imagination→imaginable（想像できる）　imaginative（想像力に富む）

imaginary（想像上の）

industry→industrial（工業の）　industrious（勤勉な）

respect→respectable（立派な）　respectful（敬意を表する）

respective（それぞれの）

sense→sensitive（敏感な）　sensible（分別のある）

5　動詞句の書きかえ

account for→explain（～を説明する）

add to→increase（～を増す）

be used to→be accustomed to（～に慣れている）

be apt to→be inclined to、tend to（～しがちである）

be aware of→be conscious of（～に気づいている）

bring about→cause（～を引き起こす）

call at、call on→visit（訪問する、立ち寄る）

call for→require、demand、ask for（～を必要とする）

call off→cancel（取り消す、中止する）

carry out→accomplish（～を成しとげる）

come about→happen、occur、take place（起こる、生じる）

do away with→abolish（～を廃止する）

get over→overcome（～を克服する）

give up→abandon（～をやめる）

go on→continue（～をし続ける）

look after→take care of、care for（〜の世話をする）

look down on→despise（〜を軽蔑する）

look over→examine（〜を調べる）

look up to→respect（〜を尊敬する）

make out→understand、figure out（〜を理解する）

make up one's mind→decide（決心する）

object to→oppose（〜に反対する）

put off→postpone（延期する、延ばす）

put up with→bear、stand、endure、tolerate（〜をがまんする）

stand for→represent（〜を表す）

take after→resemble（〜に似ている）

tell A from B→distinguish A from B（AとBを区別する）

## 6 形容詞句・副詞句の書きかえ

all but→almost、as good as（ほとんど）

as it were→so to speak（いわば）

at last→finally、after all（やっと、ついに）

because of→on account of、owing to（〜のために）

before long→soon（まもなく）

first of all→to begin with、in the first place（まず第一に）

for nothing→free（ただで）

for sure→surely、for certain（確かに、確実に）

in addition to→besides（〜に加えて）

in the long run→after all（結局は）

that is (to say) →namely（すなわち）

## 7 重要書きかえパターンのまとめ

### (1) 不定詞

It seems that he was ill.→He seems to have been ill.（彼は病気だったらしい。）

I was so tired that I couldn't walk any longer.→I was too tired to walk any longer.（私はとても疲れていたのでそれ以上歩けなかった。）

She was so kind that she helped me.→She was kind enough to help me.→She was so kind as to help me.

（彼女は親切にも私を手伝ってくれた。）

(2) 動名詞

As soon as I left home, it began to rain.

→On leaving home, it began to rain.

→I had no sooner left home than it began to rain.

→I had hardly left home when 〔before〕 it began to rain.

　（私が家を出るとすぐに雨が降りだした。）

It is impossible to know what may happen next.

→There is no knowing what may happen next.

　（次に何が起こるかはわからない。）

(3) 分詞

When I was watching TV, I heard someone crying.

→Watching TV, I heard someone crying.

　（テレビを見ていると、だれかが泣いている声が聞こえた。）

As she was born in New York, she speaks English fluently.

→Born in New York, she speaks English fluently.

　（彼女はニューヨーク生まれなので、英語を流ちょうに話す。）

If you take the subway, you can get to the theater at five.

→Taking the subway, you can get to the theater at five.

　（地下鉄に乗れば、5時には劇場に着けます。）

As I did not know her phone number, I could not call her.

→Not knowing her phone number, I could not call her.

　（彼女の電話番号を知らなかったので、電話ができなかった。）

(4) 受動態

All his classmates look up to him.

→He is looked up to by all his classmates.

　（彼はクラスメートのみんなに尊敬されている。）

Did your birthday present please her?

→Was she pleased with your birthday present?

　（彼女はあなたの誕生日プレゼントに喜びましたか。）

My mother made me go shopping.

→I was made to go shopping by my mother.

　（ぼくはお母さんに買い物に行かされた。）

(5) 仮定法・条件

If you didn't help me, I couldn't finish this work.

→If it were not for your help, I couldn't finish this work.

→But for your help, I couldn't finish this work.

→Without your help, I couldn't finish this work.

（あなたの助けがなければ私はこの仕事を終えられないでしょう。）

If you don't make haste, you won't be in time.

→Make haste, or you won't be in time.

（急ぎなさい、さもないと間にあいませんよ。）

→Make haste, and you will be in time.

（急ぎなさい、そうすれば間にあうでしょう。）

⑹ 比較

Time is the most precious thing of all.（時間ほど大切なものはない。）

→Nothing is more precious than time.

→Nothing is so precious as time.

→Time is more precious than anything else.

He is younger than he looks.（彼は見かけよりも若い。）

→He is not so〔as〕old as he looks.

→He is less old than he looks.

I had only 100 yen then.→I had no more than 100 yen then.

（私はそのとき100円しか持っていなかった。）

Jenny has as many as 2,000 books.→Jenny has no less than 2,000 books.

（ジェニーは2,000冊も本を持っている。）

⑺ 副詞節

We don't know the value of health until we lose it.

→It is not until we lose the health that we know the value of it.

（健康をそこねて初めて、その大切さがわかる。）

He will soon call you up.→It won't be long before he calls you up.

（彼はすぐに電話をかけてくるでしょう。）

Carry your umbrella with you in case it rains.

→Carry your umbrella with you lest it should rain.

→Carry your umbrella with you for fear it might rain.

（雨が降るといけないから、かさを持って行きなさい。）

However rich people are, they want more.

→No matter how rich people are, they want more.

（人々はどんなに金持ちであっても、より多くを望むものだ。）

Since you've grown up, stop this childish behavior.

→Now that you've grown up, stop this childish behavior.

(もう大人なんだから、子どもっぽいことをするのはよしなさい。)

8 会話表現のまとめ

Why don't you ～? (～してはどうですか。)

= How 〔What〕 about ～ ing? = What do you say to ～ ing?

May I ask a favor of you? (お願いがあるのですが。)

Would you mind lending me your textbook?

(あなたの教科書を私に貸していただけませんか。)

Thank you very much. (どうもありがとう。)

You're welcome. (どういたしまして。)

= Not at all. = My pleasure.

I'm sorry. (すみません。)

That's all right. (どういたしまして。)

= Don't worry about it. = No problem.

(I beg your) Pardon? (もう一度おっしゃってください。)

Hello, can I speak to ～? (もしもし、～さんはいらっしゃいますか。)

This is ～ speaking. (～と申します。)

Hold the line, please. (少々お待ちください。)

May I help you? (いらっしゃいませ。)

No, thank you. I'm just looking. (ありがとう。ちょっと見るだけです。)

That's on me. (私のおごりです。)

Please help yourself to ～. (～をご自由にお召し上がりください。)

Where are you from? (どちらの出身ですか。)

Remember me to your family.

(ご家族の皆さんにどうぞよろしくお伝えください。)

Traffic is pretty heavy. (道がとても混んでいます。)

I'm a stranger here. (私はこのあたりは初めてです。)

Could you tell me the way to the nearest station?

(最寄の駅までの道を教えていただけませんか。)

How long does it take to go to ～?

(～へはどのくらいかかりますか。)

Here you are. (ほらこれ〔さあどうぞ〕。)

Here we are! (さあ着いたぞ。) Here goes! (さあ始めよう。)

## ■知っておきたい英略語■

| | | |
|---|---|---|
| A F T A | ASEAN Free Trade Area | アセアン自由貿易地域 |
| A P E C | Asia-Pacific Economic Cooperation Conference | エイペック：アジア太平洋経済協力会議 |
| A S E A N | Association of South-East Asian Nations | アセアン：東南アジア諸国連合 |
| A S E M | Asia-Europe Meeting | アジア欧州会議 |
| B I S | Bank for International Settlements | 国際決済銀行 |
| B S | ① Broadcasting Satellite | ①放送衛星 |
| | ② Balance Sheet | ②バランスシート：貸借対照表 |
| C E O | Chief Executive Officer | 最高経営責任者 |
| C T B T | Comprehensive Nuclear Test Ban Treaty | 包括的核実験禁止条約 |
| D I | Diffusion Index | 景気動向指数 |
| E C B | European Central Bank | 欧州中央銀行 |
| E E Z | Exclusive Economic Zone | 排他的経済水域 |
| E P A | Economic Partnership Agreement | 経済連携協定 |
| E U | European Union | 欧州連合 |
| F R B | Federal Reserve Board | 連邦準備制度理事会 |
| F T A | Free Trade Agreement | 自由貿易協定 |
| G D P | Gross Domestic Product | 国内総生産 |
| G N I | Gross National Income | 国民総所得 |
| I A E A | International Atomic Energy Agency | 国際原子力機関 |
| I B R D | International Bank for Reconstruction and Development | 国際復興開発銀行（世界銀行） |
| I C J | International Court of Justice | 国際司法裁判所 |
| I C P O | International Criminal Police Organization | 国際刑事警察機構 |
| I D A | International Development Association | 国際開発協会（第二世界銀行） |
| I L O | International Labour Organization | 国際労働機関 |
| I M F | International Monetary Fund | 国際通貨基金 |
| I O C | International Olympic Committee | 国際オリンピック委員会 |
| I P C C | Intergovernmental Panel on Climate Change | 気候変動に関する政府間パネル |

| | | |
|---|---|---|
| J A S | Japanese Agricultural Standard | ジャス：日本農林規格 |
| J A X A | Japan Aerospace Exploration Agency | 宇宙航空研究開発機構 |
| J E T R O | Japan External Trade Organization | ジェトロ：日本貿易振興機構 |
| J I C A | Japan International Cooperation Agency | ジャイカ：国際協力機構 |
| J I S | Japanese Industrial Standard | ジス：日本産業規格 |
| L A N | Local Area Network | 構内情報通信網 |
| M D | Missile Defense | ミサイル防衛 |
| N A T O | North Atlantic Treaty Organization | ナトー：北大西洋条約機構 |
| N G O | Non-Governmental Organization | 非政府組織 |
| N P T | Non-Proliferation Treaty | 核不拡散条約（核拡散防止条約） |
| O D A | Official Development Assistance | 政府開発援助 |
| O E C D | Organization for Economic Co-operation and Development | 経済協力開発機構 |
| O P E C | Organization of Petroleum Exporting Countries | オペック：石油輸出国機構 |
| P K O | Peace-Keeping Operations | 国連平和維持活動 |
| START | Strategic Arms Reduction Talks [Treaty] | 戦略兵器削減交渉／[条約] |
| T P P | Trans-Pacific Strategic Economic Partnership Agreement | 環太平洋（戦略的経済）連携協定 |
| U N | The United Nations | 国際連合（国連） |
| UNESCO | United Nations Educational, Scientific and Cultural Organization | ユネスコ：国連教育科学文化機関 |
| UNICEF | United Nations Children's Fund | ユニセフ：国連児童基金 |
| W H O | World Health Organization | 世界保健機関 |
| W T O | World Trade Organization | 世界貿易機関 |
| W W F | World Wide Fund for Nature | 世界自然保護基金 |
| W W W | ① World Wide Web<br>② World Weather Watch Program | ①インターネットの情報システム<br>②世界気象監視計画 |

# 簿記の
# 常識問題
## 傾向と対策

　商業科の出身者は、すぐに企業の即戦力となりうる
人たちです。普通科の人たちが、将来的な目標を見失
いがちな中で、はっきりとした目的意識をもっている
わけです。商業簿記の出題範囲は、商業経済、計算、
簿記・会計と多岐にわたります。商業科の教科書をし
っかりと復習し、実践で覚えたことを思い出してくだ
さい。用語や仕組みなど基礎的な知識を再確認してお
くことも大切です。

# 商業経済の問題

**1** 次の(1)～(8)の記述のうち、正しいものには○、誤っているものには×を記入しなさい。

(1) 株式会社の取締役は普通決議によって解任できる。

(2) 教育費の家計に占める割合をエンゲル係数という。

(3) 流動比率は流動資産と純利益との比である。

(4) 資本剰余金と利益剰余金を混同してはならないことを明瞭性の原則という。

(5) 商品の評価額を損益計算書に計上すると、保守主義の原則に反する。

(6) 企業会計は処理の原則や手続きをみだりに変更せず、毎期継続して通用しなければならない。これを継続性の原則という。

(7) 手形の裏書譲渡は偶発債務として損益計算書の脚注に記される。

(8) 共同保険とは同一の保険目的で、かつ同一期間にわたって、複数の保険会社が保険を引き受けることをいう。

**2** 次の［A群］の語句に最も関係の深いものを［B群］より選び、記号を書きなさい。

［A群］ ① 貸付信託（　） ② 振替貯金（　） ③ 株券（　）
④ 小切手（　） ⑤ 商品券（　）

［B群］ Ⓐ 生命保険会社 Ⓑ 信用保証協会 Ⓒ 普通銀行
Ⓓ 損害保険会社 Ⓔ 証券会社 Ⓕ 特殊銀行
Ⓖ 商品取引所 Ⓗ 信託銀行 Ⓘ 百貨店
Ⓙ 郵便局

**3** 次の(1)～(2)の（　）に適する語句を記入しなさい。

(1) 出資者一人以上で経営され、社員は無限責任社員のみで、小規模で個人事業に近い会社を（　）という。

(2) 社員の個性を尊重しつつ、社員の責任を有限責任とし、出資は金銭等に限られる会社を（　）という。

**4** 次の(1)～(6)の記述に該当するものを下群より選び、記号で答えなさい。

(1) 商取引の裏付がなく、単に資金を融通するための手形。

(2) 約束手形のうち、満期日の記載のない手形。

(3) 発行者（振出人）が第三者（支払人）にあてて一定の金額の支払いを委託する形態の手形。

(4) 盗難、紛失などによる不当な支払いを防ぐため、小切手の表に二本の線を引くか、その線の間に「銀行」または「銀行渡り」と記入した小切手。

(5) 特定の受取人を指定した小切手。

(6) 当座預金残高を超過して、銀行から支払いを拒絶された小切手。

 Ⓐ 不渡手形 Ⓑ 一覧払手形 Ⓒ 融通手形 Ⓓ 為替手形

 Ⓔ 商業手形  Ⓕ 線引小切手  Ⓖ 支払保証小切手

 Ⓗ 記名式小切手 Ⓘ 無効小切手 Ⓙ 不渡小切手

**5** 取引によって財産および資本に変動を生ずるが、次の取引要素の結合について、成立するものは○、成立しないものには×を書きなさい。

（日本コンデンサー工業）

 ① 資産の減少――利益の発生 ② 費用の発生――負債の減少

 ③ 費用の発生――利益の減少 ④ 資産の増加――費用の減少

 ⑤ 負債の減少――資産の減少

**6** 次の文の（ ）の中に適当な語を入れなさい。

（日本毛織）

日本銀行はわが国でただ一つの（ ① ）銀行であるとともに、普通銀行との間に預金・貸付および（ ② ）の売買をおこなったり、また政府へ貸付けたり、政府の預金を預り、（ ③ ）を引受けたりする。日本銀行が金利を（ ④ ）て、貸出をゆるめると、それだけ銀行券の流通高は（ ⑤ ）なる。

---

## 解答・解説

**1** (1)－○ (2)－× (3)－× (4)－× (5)－× (6)－○ (7)－× (8)－○

〈解説〉(2)のエンゲル係数とは、生計費中に占める飲食費の割合を示す係数。

**2** ①－Ⓗ ②－Ⓙ ③－Ⓔ ④－Ⓒ ⑤－Ⓘ

**3** (1) 合名会社 (2) 合同会社

**4** (1)－Ⓒ (2)－Ⓑ (3)－Ⓓ (4)－Ⓕ (5)－Ⓗ (6)－Ⓙ

**5** ①－×（成立しない） ②－×（成立しない） ③－×（成立しない）

 ④－×（成立しない） ⑤－○（成立する）

**6** ①発券 ②有価証券 ③公債 ④引下げ ⑤多く

# 簿記会計の問題

1　次の(1)〜(10)の記述のうち、正しいものには〇、誤っているものには×をつけなさい。

(1)　総資本利益率とは、総利益を総資本で割ったものである。

(2)　商品を倉庫会社へ預けたことは簿記上で取引となる。

(3)　株式の払い込みは、すべて現金でなければならない。

(4)　現金を出資して営業を開始したことは資本交換取引といえる。

(5)　株式も社債も、発行価額が額面価額より低くてはいけない。

(6)　流動負債とは原則として、貸借対照表作成日から1年以内に支払い期限のくる短期の負債をいう。

(7)　商品売買の勘定を3分割すれば仕入勘定、売上勘定、繰越商品勘定になる。

(8)　手形を譲渡したときは、会計上、確定債務として仕訳する。

(9)　市場性のある有価証券は会計処理上、必ず時価で評価する。

(10)　固定資産とは土地や建物など、使用を目的とした具体的な形をもつ資産に限られる。

2　次の(1)〜(10)のうち、簿記上の取引となるものには〇、そうではないものには×を（　）の中に記入しなさい。

(1)　他店の商品の販売を委託されて預かることになった。（　　）

(2)　事務所の現金が盗難にあった。（　　）

(3)　火災のために倉庫の商品が損傷を受けた。（　　）

(4)　事務所の一部を他人に貸す契約をした。（　　）

(5)　取引先から借りていた金を返済した。（　　）

(6)　事務所の建物や備品が老朽化して値打ちが下がった。（　　）

(7)　事務所の土地と建物を抵当に入れた。（　　）

(8)　在庫の商品を半値で処分した。（　　）

(9)　知人からの借金の返済を免除された。（　　）

(10)　1か月後に商品を受け渡す契約を結んだ。（　　）

**3** 次の①〜⑳の勘定科目のうち、資産にはＡ、負債にはＢ、収益にはＣ、費用にはＤ、資本にはＥを（ ）の中に記入しなさい。

① 支払手付金（ ） ② 前受金 （ ）
③ 当座借越 （ ） ④ 雑収入 （ ）
⑤ 消耗品費 （ ） ⑥ 商品売買損（ ）
⑦ 繰越商品 （ ） ⑧ 借入金 （ ）
⑨ 前払金 （ ） ⑩ 受取利息 （ ）
⑪ 未払金 （ ） ⑫ 支払手形 （ ）
⑬ 備品 （ ） ⑭ 仮受金 （ ）
⑮ 受取手形 （ ） ⑯ 支払地代 （ ）
⑰ 未収金 （ ） ⑱ 資本金 （ ）
⑲ 手形貸付金（ ） ⑳ 受取手付金（ ）

**4** 次の(1)〜(8)の取引は分類するとＡ（交換取引）、Ｂ（損益取引）、Ｃ（混合取引）のいずれになるか、それぞれ記号で答えなさい。

(1) 現金を当座預金に預け入れた。 (2) 現金を借り入れた。
(3) 借入金とその利息を現金で支払った。 (4) 給料を現金で支払った。
(5) 商品を仕入原価以下で掛け売りした。 (6) 借入金の利息を支払わないで元金に繰り入れた。 (7) 現金を出資して営業を開始した。
(8) 買掛金を決済するため、第三者から借り入れを行った。

### 解答・解説

**1** (1)−○ (2)−× (3)−× (4)−○ (5)−× (6)−○ (7)−○ (8)−× (9)−× (10)−×
**2** (1)−× (2)−○ (3)−○ (4)−× (5)−○ (6)−○ (7)−× (8)−○
(9)−○ (10)−× 〈解説〉(2)は（現金）資産の減少、費用の発生で取引。
(5)は（現金）資産の減少、負債の減少で取引。
(6)は資産の減少、費用（減価償却）の発生で取引。(8)は（商品）資産の減少、資産の増加と費用の発生で取引。(9)は負債の減少、利益の発生で取引。
**3** ①支払手付金−Ａ（資産） ②前受金−Ｂ（負債） ③当座借越−Ｂ（負債）
④雑収入−Ｃ（収益） ⑤消耗品費−Ｄ（費用） ⑥商品売買損−Ｄ（費用）
⑦繰越商品−Ａ（資産） ⑧借入金−Ｂ（負債） ⑨前払金−Ａ（資産）
⑩受取利息−Ｃ（収益） ⑪未払金−Ｂ（負債） ⑫支払手形−Ｂ（負債）
⑬備品−Ａ（資産） ⑭仮受金−Ｂ（負債） ⑮受取手形−Ａ（資産）
⑯支払地代−Ｄ（費用） ⑰未収金−Ａ（資産） ⑱資本金−Ｅ（資本）
⑲手形貸付金−Ａ（資産） ⑳受取手付金−Ｂ（負債）
**4** (1)−Ａ 交換取引 (2)−Ａ 交換取引 (3)−Ｃ 混合取引 (4)−Ｂ 損益取引
(5)−Ｃ 混合取引 (6)−Ｂ 損益取引 (7)−Ａ 交換取引 (8)−Ａ 交換取引

簿記の常識問題

5　次の(1)～(10)の取引は取引の８要素からいえば、どの結合になるか、例になら
って（　）の中に記入しなさい。

［例］銀行から現金を借り入れた。　　　　　　（資産の増加）−（負債の増加）

(1)　現金を元入れして開業した。　　　　　　　（　　　　）−（　　　　）
(2)　商品を現金で仕入れた。　　　　　　　　　（　　　　）−（　　　　）
(3)　手数料を現金で受けとった。　　　　　　　（　　　　）−（　　　　）
(4)　家賃を現金で受けとった。　　　　　　　　（　　　　）−（　　　　）
(5)　商品を掛で売った。　　　　　　　　　　　（　　　　）−（　　　　）
(6)　給料を現金で支払った。　　　　　　　　　（　　　　）−（　　　　）
(7)　利息を現金で受けとった。　　　　　　　　（　　　　）−（　　　　）
(8)　株主総会で株主配当金の支払が承認された。（　　　　）−（　　　　）
(9)　借入金の返済が免除された。　　　　　　　（　　　　）−（　　　　）
(10)　借入金を現金で支払った。　　　　　　　　（　　　　）−（　　　　）

6　次の取引例の仕訳をしなさい。
　　　　　　　　　　　　　　　　　　　　　　　　　　　　　　（富士電気化学）

(1)　A商店はB商店の買掛金支払いのため、かねてから売掛金のあるC商
　　店あてに、30,000円の為替手形を振り出し、C商店の引き受けを得て、
　　B商店に渡した。A、B、C各商店のそれぞれの仕訳をしなさい。

(2)　㋐　P商店の商品60,000円を注文し、商品未着のまま貨物引換証を受
　　　け取った。
　　　㋑　上記商品が到着し、貨物引換証と引き替えに商品を受け取った。
　　　　取引費300円は現金で支払った。

(3)　先にX商店から受け取った船荷証券（原価30,000円の商品に対するも
　　の）を、Y商店に売り渡し、代金32,000円は同店振り出しの約束手形で
　　受け取る。

7　次の(1)～(13)を下の勘定科目から選び取引の仕訳をしなさい。

　　現金　当座預金　売掛金　仮受金　借入金　買掛金　租税公課
　　預り金　売上　商品券　引出金　仕入　給与　売上値引　支払手形
　　消耗品　仮払金　備品　雑費　資本金

(1)　A産業から商品250,000円を仕入れ、代金は月末払いとした。
(2)　B子さんの1月分給与250,250円を所得税、社会保険料を控除して現
　　金214,379円を支払った。
(3)　C氏にテレビ1台を売り、代金230,000円は翌月末に受けとる約束を
　　した。
(4)　D商事に100,000円の什器セットを販売し、定価の5％値引で代金と

して 95,000 円を小切手で受けとった。

⑸　E商会から心あたりのない原因不明の送金が 80,000 円あった。

⑹　F商店はG商店振り出し当店引き受けの為替手形 300,000 円を、本日支払ったと取引銀行から通知を受けた。

⑺　H産業に商品 150,000 円を売り、60,000 円を現金で受けとり、残りは掛とした。

⑻　I商店は借用証書によって、J銀行から現金 8,000,000 円を借り入れた。

⑼　K商会は従業員が出張するので、旅費概算で 150,000 円を小切手を振り出して前渡しした。

⑽　L酒店は商品券 5,000 円を販売し、代金は現金で受けとった。

⑾　現金 500,000 円を事業資金として追加元入れした。

⑿　商品 300,000 円を仕入れ、代金のうち 100,000 円は取引先振り出しの手持ち小切手で支払い、残額は掛とした。

⒀　商品陳列用ケース 230,000 円を買い入れ、代金は現金で支払った。

### 解答・解説

5　⑴（資産の増加）－（資本の増加）　⑵（資産の増加）－（資産の減少）
⑶（資産の増加）－（収益の発生）　⑷（資産の増加）－（収益の発生）
⑸（資産の増加）－（資産の減少）　⑹（費用の発生）－（資産の減少）
⑺（資産の増加）－（収益の発生）　⑻（資本の減少）－（負債の増加）
⑼（負債の減少）－（収益の発生）　⑽（負債の減少）－（資産の減少）

6　⑴　A商店（借）買掛金 30,000　（貸）売掛金 30,000　B商店（借）受取手形 30,000　（貸）売掛金 30,000　C商店（借）買掛金 30,000　（貸）支払手形 30,000
⑵　㋐（借）未着商品 60,000　（貸）買掛金 60,000　㋑（借）仕入 60,300　（貸）未着商品 60,000　現金 300
⑶　（借）受取手形 32,000　（貸）未着商品 30,000　未着商品販売益 2,000

7　⑴（借）仕入 250,000　（貸）買掛金 250,000　⑵（借）給与 250,250
（貸）現金 214,379　預り金 35,871　⑶（借）売掛金 230,000　（貸）売上 230,000
⑷（借）現金 95,000　売上値引 5,000　（貸）売上 100,000　⑸（借）現金 80,000
（貸）仮受金 80,000　⑹（借）支払手形 300,000　（貸）当座預金 300,000
⑺（借）現金 60,000　売掛金 90,000　（貸）売上 150,000　⑻（借）現金 8,000,000
（貸）借入金 8,000,000　⑼（借）仮払金 150,000　（貸）当座預金 150,000
⑽（借）現金 5,000　（貸）商品券 5,000　⑾（借）現金 500,000
（貸）資本金 500,000　⑿（借）仕入 300,000　（貸）現金 100,000　買掛金 200,000
⒀（借）備品 230,000　（貸）現金 230,000

⑧ 　次の(1)～(3)の取引を仕訳しなさい。

(1) 　山田工業は工場の機械の修繕を行った。その代金280,000円は月末に支払う約束とした。なお、修繕引当金の残高が140,000円あった。

(2) 　田中商店振り出しの約束手形700,000円を取引銀行で割り引き、割引料8,750円を差引かれたが、残りの手取金を当座預金とした。

(3) 　村上産業の期首商品棚卸高は1,300,000円、期末商品棚卸高は1,100,000円である。

⑨ 　右の試算表と決算整理事項に基づき、貸借対照表と損益計算書を作成しなさい。

① 　商品棚卸現在高は400,000円だった。

② 　什器帳簿価額(現価)の10%を償却する。

③ 　売掛金残高に対し、貸倒引当金を5％と訂正する。

④ 　有価証券額面1,000,000円を@86円に評価更正する。

⑤ 　保険料支払高中当期負担分は10,000円である。

⑥ 　所有有価証券未収利息は26,000円ある。

⑦ 　借入金に対する未払利息は18,000円である。

⑧ 　当期未払分雑費は25,000円ある。

| 勘　定 | 借　方 | 貸　方 |
|---|---|---|
| 現金当座預金 | 1,510,800 | |
| 有価証券 | 880,000 | |
| 売掛金 | 950,000 | |
| 繰越商品 | 482,000 | |
| 仕入 | 1,297,300 | |
| 什器 | 350,000 | |
| 給料 | 60,000 | |
| 雑費 | 38,500 | |
| 保険料 | 24,000 | |
| 支払利息 | 9,000 | |
| 借入金 | | 300,000 |
| 買掛金 | | 755,000 |
| 減価償却累計額 | | 17,500 |
| 貸倒引当金 | | 50,000 |
| 資本金 | | 2,500,000 |
| 売上 | | 1,976,600 |
| 受入利息 | | 2,500 |
| | 5,601,600 | 5,601,600 |

**解答・解説**

⑧ (1) (借)修繕費 140,000　修繕引当金 140,000　(貸)未払金 280,000

(2) (借)当座預金 691,250　支払割引料 8,750　(貸)受取手形 700,000

(3) (借)仕入 1,300,000　繰越商品 1,300,000
　　(貸)繰越商品 1,100,000　仕入 1,100,000

⑨

### 貸借対照表

| | | | | |
|---|---|---|---|---|
| 現金当座預金 | 1,510,800 | 借　入　金 | 300,000 |
| 有　価　証　券 | 860,000 | 買　掛　金 | 755,000 |
| 売　掛　金 | 950,000 | 減価償却累計額 | 50,750 |
| 繰　越　商　品 | 400,000 | 貸　倒　引　当　金 | 47,500 |
| 前　払　保　険　料 | 14,000 | 未　払　利　息 | 18,000 |
| 未　収　利　息 | 26,000 | 未　払　雑　費 | 25,000 |
| 什　　　器 | 350,000 | 資　本　金 | 2,500,000 |
| | | 当期純利益 | 414,550 |
| | 4,110,800 | | 4,110,800 |

### 損益計算書

| | | | | |
|---|---|---|---|---|
| 仕　　　入 | 1,379,300 | 売　　　上 | 1,976,600 |
| 給　　　料 | 60,000 | 貸倒引当金戻入 | 2,500 |
| 雑　　　費 | 63,500 | 受　入　利　息 | 28,500 |
| 保　険　料 | 10,000 | | |
| 支　払　利　息 | 27,000 | | |
| 減　価　償　却　費 | 33,250 | | |
| 有価証券評価損 | 20,000 | | |
| 当　期　純　利　益 | 414,550 | | |
| | 2,007,600 | | 2,007,600 |

# 商業計算の問題

　**1**　次の(1)～(5)の問いに答えなさい（円未満四捨五入）。

(1)　日歩2銭は年利率に直すと何分何厘になるか。

(2)　1年1期の複利計算で、元金500,000円を年6％で2年4か月借りると元利合計はいくらか。

(3)　額面1,500,000円の手形を、日歩2銭で銀行で割引いてもらった。割引料18,000円だったが割引日数は何日か。

(4)　原価70,000円の商品を委託販売するのに販売諸掛が200円、手数料が5％かかる。これらを見込んでも15％の利益をあげるには売価をいくらにすればいいか。

(5)　1ケースにつき仕入代金11,110円の商品を50ケース売って、総原価の20％の利益をあげたいとき、売価を1ケースいくらにすればいいか。ただし仕入諸掛は、運賃13,500円、保険料26,500円、保管料9,500円である。

　**2**　次の計算をしなさい（円未満四捨五入）。　　　　　　　　〔東陽食庫〕

　A商品を売って、総原価の24％の利益を得るためには、売価を1ダースいくらにすればよいか。

〔仕入代金〕　A商品1ダースにつき9,110円　　〔仕入数量〕　50ダース
〔仕入諸掛〕　運賃10,500円　保険料21,400円　保管料7,600円

---

## 解答・解説

　**1**　(1)　$(0.02 \times 365) \div 100 = 0.073$　　答　7分3厘

　(2)　$500,000 \times (1 + 0.06)^2 \times (1 + 0.06 \times \frac{4}{12}) = 573,036$　　答　573,036円

　(3)　日数を $x$ とすると $(1,500,000 \times 0.02) \div 100 \times x = 18,000$　　$x = 60$　　答　60日

　(4)　$70,000 + 200 + (70,000 \times 20) \div 100 = 84,200$　　答　84,200円

　(5)　$11,110 + (13,500 + 26,500 + 9,500) \div 50 = 12,100$　　1ケースあたりの原価が12,100　売価を求めるには $12,100 + (12,100 \times 20) \div 100 = 14,520$　　答　14,520円

　**2**　1ダースの原価、$9,110 + (10,500 + 21,400 + 7,600) \div 50 = 9,900$
$9,900 + (9,900 \times 24) \div 100 = 12,276$　　答　12,276円

3　次の(1)～(2)の問いに答えなさい。

(1)　額面 1,200,000 円の手形を銀行で割引いてもらったところ、割引料は 14,400 円、割引日数は 60 日だった。日歩何銭だったのか。

(2)　3 年後に返済される債権 629,856 円は現在いくらに見積もれるか。ただし金利 8 ％、1 年 1 期の複利計算とする。

4　次の(1)～(4)の問いに答えなさい（円未満四捨五入）。　　　　〔日本商業ほか〕

(1)　原価 75,000 円の商品を委託販売するのに、販売諸掛を 250 円、手数料 5 ％を見込んでも、なお 20 ％の利益をあげるには、売価をいくらにすればよいか。

(2)　ある商品に 3 割の利益を見込んで定価をつけたが、定価の 1 割引きで売ったら、340 円の利益があった。ある商品の原価はいくらか。

(3)　6 月 18 日に 85,000 円を日歩 2 銭で借り入れ、期日に元利合計 86,020 円を返済した。期日は何月何日か（片落とし）。

(4)　元金 200,000 円を年 6 ％で、2 年 9 か月借りると元利合計はいくらか（1 年 1 期の複利とする）。

5　次の(1)～(2)の問いに答えなさい。

(1)　銀行から国債を担保として 2,000,000 円を借り入れた。その際、約束手形を振り出し、利息を差し引いた手取金は当座預金とした。なお利率は年 4 ％で、借入期間は 146 日間とすると支払利息はいくらか。

(2)　得意先から受け取った約束手形 300,000 円を当日銀行で割り引き、割引料を差し引いた手取金は当座預金にした。振出日 8 月 22 日、満期日 10 月 10 日で日歩 2 銭 5 厘の割引料はいくらか。

## ■ 解答・解説

3　(1)　日歩 2 銭　〈解説〉日歩を $x$ とする。$(1,200,000 \times x) \div 100 \times 60 = 14,400$
$720,000x = 14,400$　$x = 0.02$

(2)　500,000 円　〈解説〉$(629,856 \times 1) \div (1 + 0.08)^3 = 500,000$

4　(1)　94,000 円　〈解説〉$75,000 + 250 + (75,000 \times 25) \div 100 = 75,250 + 18,750$
$= 94,000$　(2)　2,000 円　〈解説〉原価を $x$ とすると、定価は $1.3x$ だから、
$1.3x - (1.3x \times 10) \div 100 = x + 340$　$0.17x = 340$　$x = 2,000$

(3)　8 月 17 日　(4)　234,832 円　〈解説〉$200,000 \times (1 + 0.06)^2 \times (1 + 0.06 \times \frac{9}{12})$
$= 234,832$

5　(1)　$2,000,000 \times 0.04 \times \frac{146 日}{365 日} = 32,000$ 円　(2)　$300,000 \times \frac{0.025}{100} \times 50 = 3,750$ 円

# 要点のまとめ

簿記

● 取引の８要素

　図に示すように簿記上の取引は借方と貸方
に４つずつ、計８つの要素が対立、かつ結合
して構成される。この関係が簿記上の貸借平
均の原理を構成する。

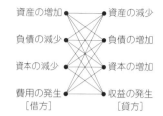

● 流動資産

　流動資産とは、企業にたえず流入して、また企業から流出していく資産を
いう。現金、当座預金、受取手形、売掛金、商品、原料など。

● 流動負債

　流動負債とは、商品・材料の購入や商品の販売に関して発生する負債、支
払手形、買掛金、前受金など。

● 固定資産

　固定資産とは企業内部で長期にわたって使用され、消耗される資産をいう。
土地、建物、設備などの有形固定資産と、特許権やのれんなど、無形固定資
産がある。

● 固定負債

　固定負債とは、支払い義務が１年を超えて発生するものや、その性質から
流動負債に含めることが不適当な長期借入金、長期未払金、社債、退職給与
引当金、預り金など。

● 剰余金

　資本金を超過する自己資本部分のことをいう。利益剰余金と資本剰余金か
ら構成される。毎期の利益の内部留保から生じるのが利益剰余金で、源泉、
合併差益、減資差益などから生じるのが資本剰余金である。

● 変動費・固定費

　操業度が変化するたびに増減する費用を変動費といい、操業度の変化に関
係なく、常に一定額発生する費用を固定費という。

● 耐用年数

　企業が所有する建物や設備などの固定資産を引き続き使用できる年数のこ
とをいう。減価償却にそった償却年数のことである。

●租税公課

　租税公課は、公租公課ともいい、租税と公課をいう。租税公課は、費用になるものとならないものがある。

●試算表

　発生した取引が正しく仕訳され、正確に総勘定元帳に転記されているかどうかを確認するための表で、試算表には、合計試算表・残高試算表・合計残高試算表の3つの種類がある。

●減価償却

　固定資産の価値減少額のこと。一定の償却方法により、資産の取得価額から残存価額を差し引いた額を、その耐用年数の間だけ、費用として期間配分していく会計方法。

●損益分岐点

　利益と損失との境目になる売り上げをいう。損益分岐点では売上高と費用が等しいので、利益も損失も生じない。

●信用状

　L／C（Letter of Credit）ともいわれる。銀行が客の信用を保証するために発行する書状のこと。一般に輸入業者の信用を保証するための貿易手形の割引に用いられる。

●売掛金

　商品の販売やサービスの提供など、売上先との間の通常の営業上の取引で生じた未収の債権のことをいう。有価証券や固定資産の売却など、通常の営業上の取引以外で生じた未収の債権は区別して未収入金という。

●買掛金

　通常の営業上の取引によって生じた、仕入先に対する未払いの債務をいう。有価証券、備品の買い入れなど、通常の営業上の取引以外で生じた未払いの債務は区別して未払金という。

●人名勘定

　掛取引を行った際、一般には売掛金・買掛金勘定に記入するが、この方法では得意先・仕入先ごとの債権、債務の金額がわからない。そこで相手方の氏名、商号などをそのまま元帳の勘定科目にする。

●引当金

　将来発生する特定の支出や費用などの債務に対する準備金のことをいう。次期以降に債務が発生することが予測できるときは、その予想額を今期会計より引き当てる。

# 時事の
# 常識問題
## 傾向と対策

　時事の分野は、政治や経済から事件や芸能まで社会全般に及びます。この章では「政治」「経済・金融」「厚生・環境・科学」「社会・生活」「国際情勢」「文化・スポーツ・その他」の6つに分類し、近年話題の時事問題を多数掲載しています。国内問題では、対中国や韓国との領土問題、北朝鮮拉致問題の解決には程遠く、経済でも深刻な円安、物価高と実質賃金との差、自動車メーカーの認証不正等の問題が山積しています。国際情勢では、長引くロシアのウクライナ侵略、イスラエルのガザ侵攻、米中の多面に及ぶ対立、シリア、イエメン等複雑な中東問題など、アンテナを立て確認をしておきましょう。

# 政治の時事問題

**1** 2024 年 9 月に行われた自民党総裁選に関する以下の記述で、（　　　）に入る適切な語句を語群から選びなさい。

　2024 年 9 月、出馬を断念した岸田前首相の後任を決める自由民主党（自民党）の総裁選が行われた。政権（　A　）である自民党の総裁は、総理大臣を選ぶことを意味する重要な選挙であり、今回はこれまでの総裁選では最多となる（　B　）人が届け出を提出し、2 週間におよぶ選挙戦が展開された。選挙は、国会議員による 367 票と党員・党友による（　C　）票 367 票の計 734 票で争われ、当初の予想どおり票の分散化が発生。結果的に高市氏と（　D　）氏による決選投票へともつれ込み、最終的には（　D　）氏が勝利、自民党の新しいリーダーの誕生となった。なお、新総裁の任期は（　E　）年間である。

［語群］
①３　　②５　　③９　　④７　　⑤地方　　⑥サポーター　　⑦河野
⑧小泉　　⑨石破　　⑩上川　　⑪野党　　⑫与党　　⑬交代

**2** 2024 年度の一般会計予算に関する以下の記述で、（　　　）に入る適切な語句を語群から選びなさい。

　国の 2024 年度一般会計の歳出総額は、約（　A　）兆円と 2 年連続で 110 兆円を超えたが、過去 2 番目の規模で 12 年ぶりの減額予算となった。歳出のうち、予算の 3 分の 1 を占める（　B　）費は 37 兆 7,193 億円と前年比で 8,506 億円増加した。診療報酬の薬価引下げで増加の伸びを抑えたが、高齢化による給付増加に加えて、（　C　）対策強化や医療従事者の賃上げで大幅な増加となった。防衛費も 7 兆 9,172 億円と 1 兆 1,292 億円上回り、（　D　）費は長期金利の上昇を反映して 1 兆 7,587 億円多い 27 兆 90 億円と過去最大となった。歳入では、税収を前年度の見通しとほぼ同額の 69 兆 6,080 億円とし、新規国債発行は 34 兆 9,490 億円と 3 年連続の減額になったが、（　E　）は 31.2％と財源の 3 割以上を国債に頼る財政状況は続いている。

［語群］
①建設債　　②社会保障　　③公共事業　　④予備　　⑤基礎的財政収支
⑥国債　　⑦公債依存度　　⑧少子化　　⑨災害　　⑩ 114　　⑪特例国債
⑫ 112　　⑬ 124　　⑭文教科学　　⑮地方交付税交付金

**3** 2024年度の税制改正に関する以下の記述で、（　　　　）に入る適切な語句を語群から選びなさい。

　2024年度の税制改正は、（　A　）を前面に打ち出したのが特色となった。目玉となる（　B　）は、1人あたり4万円の減税で、年収2,000万円を超える人を対象から外す所得制限を設けた。企業向けでは、賃上げを後押しするため、前年度から7％以上の賃上げをした企業に増額分の25％を（　C　）から控除する仕組みを新設。また、（　D　）や子育て支援に熱心な企業へ、5％の（　C　）控除を行う枠も新設した。また、子育て世帯に対する支援として、児童手当の対象を（　E　）歳までに拡大する方針も盛り込まれた。

[語群]

①16　　②18　　③増税　　④減税　　⑤外国人支援　　⑥女性活躍
⑦住民税　　⑧法人税　　⑨住宅ローン減税　　⑩定額減税　　⑪感染対策

**4** 2024年3月に日銀が決定した金融政策に関する次の記述で、（　　　　）に入る適切な語句を語群から選びなさい。

　2024年3月に開かれた金融政策決定会合で、日本の（　A　）である日本銀行（日銀）は、（　B　）％の物価安定目標の達成が視野に入ってきたことにより、（　C　）金利政策を解除して金利を引き上げることを発表した。利上げは17年ぶりで、世界がインフレ対策として利上げを積極的に実施する中、異例の金利政策をとってきた日本が大きく転換することになった。また、長期金利を低く抑え込んできた（　D　）・コントロール（長短金利操作）と呼ばれる金融政策の枠組みも終了するとしている。なお、その後の金融政策決定会合では、（　E　）の買い入れの規模を減らす方針も示している。

[語群]

①国債　　②米国債　　③イールドカーブ　　④2　　⑤5　　⑥地方債
⑦決済銀行　　⑧中央銀行　　⑨インフレ　　⑩マイナス　　⑪デフレ

### 解答・解説

**1** A-⑫　　B-③　　C-⑤　　D-⑨　　E-①　　〈解説〉　過去最多の9人の候補者による総裁選に勝利したのは石破氏で、第102代総理大臣となった。

**2** A-⑫　　B-②　　C-⑧　　D-⑥　　E-⑦　　〈解説〉　予備費は5兆円から1兆円に縮減し、一般会計の今回の減額に寄与している。

**3** A-④　　B-⑩　　C-⑧　　D-⑥　　E-②　　〈解説〉　税制改正は、日本の税金のあり方などをまとめた方針である。

**4** A-⑧　　B-④　　C-⑩　　D-③　　E-①　　〈解説〉　円安の改善が期待されていたが、マイナス金利解除後も円安傾向が変わることはなかった。

**5** こども未来戦略に関する次の記述で、（　　）に入る適切な語句を語群から選びなさい。

　（　A　）対策の強化を目指す政府の「こども未来戦略」の大綱が2023年12月に決定した。若い世代の（　B　）を増やす、社会全体の構造・意識を変える、すべてのこども・子育て世帯を切れ目なく支援する、という3つの理念に基づく施策であり、3年間で3.6兆円規模の予算が見込まれている。児童手当については所得制限を撤廃し、支給対象を18歳まで拡大、第3子以降は月額（　C　）万円とする。ひとり親世帯を対象にした児童扶養手当の支給要件も緩和し、満額を受け取れる年収の上限を（　D　）万円未満に引き上げる。また、大学授業料の無償化や、育児休業給付の給付率引き上げなどを盛り込んだ。なお、財源は当面は国債の発行でまかない、のちに社会保障費の歳出改革や、国民や企業から集める（　E　）制度の創設で財源を確保する。

[語群]
①3　　②5　　③所得　　④ゆとり　　⑤190　　⑥220　　⑦高齢化
⑧教育　　⑨少子化　　⑩社会保障　　⑪支援金　　⑫募金　　⑬休日

**6** 2024年8月に決定した敦賀原子力発電所2号機の再稼働に関する次の記述で、（　　）に入る適切な語句を語群から選びなさい。

　2024年8月、福井県の敦賀原子力発電所2号機について、（　A　）は原子炉の下に（　B　）の存在が否定できず、新規制基準に適合しないとの結論をまとめた。これまで再稼働に向けた審査を申請した原発27基のうち、許可されたのは（　C　）基。原発の再稼働を認めないとする判断は初めてとなった。今回の判断を踏まえ、地元からは運営先の日本原子力発電が計画する敦賀原発3号機と4号機の建設を期待する声もあがった。なお、政府は2022年にエネルギー政策として（　D　）を最大限活用する方針を打ち出しており、（　E　）の原子炉の開発や建設を進めると表明している。

[語群]
①15　　②17　　③18　　④プレート　　⑤活断層　　⑥マグマだまり
⑦原子力安全委員会　　⑧環境省　　⑨原子力規制委員会　　⑩沸騰水型
⑪次世代型　　⑫再生エネルギー　　⑬原発　　⑭水素エネルギー

## 解答・解説

**5**　A－⑨　B－③　C－①　D－⑤　E－⑪　〈解説〉2024年6月には「こども誰でも通園制度」創設を含む子ども・子育て支援法が成立している。
**6**　A－⑨　B－⑤　C－②　D－⑬　E－⑪　〈解説〉原発の運転停止や廃炉は、敦賀市の人口や財政に大きく影響することが指摘されている。

**7** 2024年6月に成立した改正政治資金規正法に関する次の記述で、（　　　）に入る適切な語句を語群から選びなさい。

　2024年6月、改正政治資金規正法が成立した。自民党の（　A　）の政治資金パーティーに関する問題を受けたもので、議員本人への罰則を強化する（　B　）導入のため、収支報告書の確認書の作成を議員に義務づけることを盛り込んでいる。また、焦点となったパーティー券の購入者の公開基準額は、従来の20万円超から（　C　）万円超へと引き下げられた。また、党からの政策活動費は、用途と支出した年月を開示し、（　D　）年後に領収書などを公開することを定めている。政治資金パーティーに関する問題では、収支報告書へ適切に記載がされていないケースが相次いで発覚し、（　E　）や党幹部の交代に始まり、自民党の（　A　）の解体、党員の離党勧告にまで発展するなど、深刻な政治不信を招いた。

［語群］
　①閣僚　　②事務次官　　③政務官　　④連座制　　⑤執行部　　⑥3
　⑦5　　⑧10　　⑨15　　⑩30　　⑪派閥　　⑫合議制

**8** 2024年に閣議決定された「骨太の方針」に関する次の記述で、（　　　）に入る適切な語句を語群から選びなさい。

　2024年6月、政府は「経済財政運営と改革の基本方針（骨太の方針）」を発表した。（　A　）からの完全な脱却をはかり、（　B　）カットが続いてきた日本経済を成長型の新たな経済ステージに移行させていくことを最重要課題に掲げた。経済成長のため、（　C　）を起点に生産性の向上を目指すとし、労働市場改革の推進のため、仕事の質を重視する「ジョブ型」の企業への導入の促進や（　D　）（学び直し）支援の方針を明示。財政面では、2025年度の国・地方を合わせた（　E　）（基礎的財政収支）の黒字化を目指すことや、債務残高対GDP比の安定的な引き下げを目指すことも明記した。

［語群］
　①インフレ　　②賃上げ　　③ライドシェア　　④コスト　　⑤残業手当
　⑥リストラ　　⑦デノミ　　⑧収入　　⑨デフレ　　⑩サステナブル
　⑪リスキリング　　⑬プライマリーバランス

### ▎解答・解説

**7** A−⑪　　B−④　　C−⑦　　D−⑧　　E−①　〈解説〉成立にあたっては、当初賛成していた日本維新の会を含め、野党側は反対に回った。
**8** A−⑨　　B−④　　C−②　　D−⑪　　E−⑬　〈解説〉一般のドライバーが有料で人を運ぶライドシェアを、全国で広く利用可能にすることも明記。

**9** 近年の日本の国内政治、外交問題等に関する次の記述で、(　　　)に入る適切な語句を下から選びなさい。

(1) 2024年4月、アメリカで日米首脳会談が行われ、互いの国を、「グローバル・パートナー」と位置づけ、すべての領域でともに対応することを強調、(　　　)に基づく自由で開かれた国際秩序を堅持し、強化するとした。

①国際法　②法の支配　③友好関係　④日米安全保障

(2) 2024年5月、農政の憲法とされる食料・農業・農村基本法の改正法が成立した。改正法は、基本理念に(　　　)の確保を新たに追加し、農業法人の経営基盤の強化やスマート技術を活用した生産性の向上などに取り組むことが盛り込まれた。

①安定的輸入国　②食料自給率　③食料安全保障　④備蓄米

(3) 2024年6月に発表された女性版骨太の方針2024では、プライム市場上場企業における女性役員比率を2030年までに(　　　)パーセント以上にするという、目標達成に向けての企業への補助金拡充や、男女間の賃金格差解消のため、学び直しの支援を強化することなどを盛り込んでいる。

①10　②30　③40　④50

(4) 2024年1月、日本は巡航ミサイル「トマホーク」の購入契約を約2,540億円で米政府と締結。他国の軍事拠点を破壊する(　　　)能力として使う予定で、最大400発が2025年度から納入される。

①先守防衛　②敵基地攻撃　③軍事工場破壊　④迎撃能力

(5) 2024年6月成立の改正出入国管理法では、従来の技能実習制度を廃止して(　　　)制度を新設、外国人労働者を3年で専門技能のある「特定技能」水準に育成すると規定し、別の企業などに移る転籍も認めるとした。

①永住許可　②福祉的就労　③一時就労　④育成就労

(6) 2024年5月、(　　　)安全保障上で重要な情報へアクセスできる人を限定するセキュリティ・クリアランス制度創設のための法律が成立した。

①食料　②エネルギー　③経済　④防災

(7) 2024年、自然界で分解されない化学物質(　　　)について、国の目標値を超える値が全国各地の地下水や河川で検出され、地域住民の血中検査では血中濃度が国の以前の調査よりも約3倍高かったことが判明した。

① PFAS　② PCB　③六価クロム　④アスベスト

## ▌▌解答・解説

**9**　(1)－②　(2)－③　(3)－②　(4)－②　(5)－④　(6)－③　(7)－①

〈解説〉 日米首脳会談では、中国の一方的な現状変更の試みへの反対を表明。

# 経済・金融の時事問題

**1** 近年の日本の貿易収支に関する次の記述で、（　　）に入る適切な語句を語群から選びなさい。

2024年4月、財務省は2023年度の貿易統計（速報）で、輸出から輸入を引いた貿易収支が（　A　）億円の赤字で3年連続だったと発表。だが、ロシアのウクライナ侵略の影響を受け過去最大だった23年度より、約7割縮小している。国・地域別の輸入額は、（　B　）からの約24.2兆円が最も多いが、半導体の減少などで前年比4.5％の減少となっている。輸出額は、米国向けの（　C　）などが好調で、（　D　）等を追い風に（　E　）兆円と過去最高を記録した。一方、同省の23年度国際収支（2024年5月・速報）では、海外との貿易や投資の取引の経常収支は、過去最大の（　F　）億円の黒字だった。

［語群］

①米国　　　②40兆5,090　　③自動運転車　　④102.8　　⑤5兆8,919
⑥中近東　　⑦ハイブリッド車　　⑧25兆3,390　　⑨ＥＵ　　⑩円安
⑪中国　　　⑫203.7

**2** 近年の日本と世界の国内総生産（ＧＤＰ）に関する次の記述で、（　　）に入る適切な語句を語群から選びなさい。

2024年2月、内閣府は2023年のＧＤＰは、（　A　）の影響を含めた名目ＧＤＰが前年比5.7％増の（　B　）兆円だったと発表した。名目ＧＤＰはコロナ禍回復で消費、輸出は増え過去最高だったが、円安の効果もあり（　C　）に抜かれ、世界（　D　）となった。深刻な原因として、00～22年の（　E　）が、（　C　）の平均1.2％より低い0.7％と長期低迷していたことがある。

［語群］

①平均給与　　②4位　　③実質成長率　　④591.4　　⑤イギリス
⑥労働生産性　　⑦6位　　⑧物価　　⑨328.4　　⑩ドイツ

---

### ▌▌ 解答・解説 ➡

**1**　A－⑤　　B－⑪　　C－⑦　　D－⑩　　E－④　　F－⑧　　〈解説〉
経常収支の旅行収支は、訪日外国人増で前年比3.6倍の4兆2,295億円の黒字。

**2**　A－⑧　　B－④　　C－⑩　　D－②　　E－③　　〈解説〉　世界の名目ＧＤＰに占める日本の割合は4.2％までに低下。2010年に3位に転落している。

**3** 日本の一般会計に関する次の記述で、（　　　）に入る適切な語句を語群から選びなさい。

2023 年 7 月、財務省は国の 2022 年度一般会計決算の概要で、歳入から歳出を引いた（　A　）は（　B　）億円となったと発表した。財政法の規定で（　A　）の半分は国債の償還に充てることになっており、政府は残り半分を（　C　）財源に充てる予定。また、使う必要がなくなった「不用額」も 11.3 兆円にのぼり、3 年連続で過去最高を記録した。また、税収は（　D　）億円を記録した。一方、2023 年 10 月 1 日より消費税の適正な徴収をめざす（　E　）制度が始まった。この制度に登録すると、従来は免税されていた小規模事業者も税負担等が増えることもある。2024 年 2 月、財務省は（　F　）が上昇すると令和 9 年度予算で、国債利払い費が同 6 年の 1.6 倍になると予想を発表。

［語群］

① 8 兆 4,388　　② 福祉　　③ 繰越金　　④ インボイス（適格請求書）

⑤ 71 兆 1,373　　⑥ 決算剰余金　　⑦ 防衛　　⑧ 長期金利

⑨ 2 兆 6,294　　⑩ 円預金金利　　⑪ フリーランス登録　　⑫ 51 兆 4,571

**4** 近年の日本の金融に関する次の記述で、（　　　）に入る適切な語句を語群から選びなさい。

2024 年 3 月 4 日、東京株式市場で（　A　）が史上初めて終値が（　B　）円となり大台を記録した。これは（　C　）絶頂期の 1989 年 12 月につけた当時の終値の史上最高値を、約 34 年ぶりに更新したもの。円相場が 1 ドル＝ 150 円前後（2024 年 6 月現在）と歴史的な（　D　）水準で動いており、海外投資家に日本株は（　E　）と映り、投資マネーの受け皿となっている面がある。また 2024 年 1 月から政府が掲げる「資産所得倍増プラン」の目玉として、投資で得た利益が非課税となる新（　F　）がスタートした。投資ブームには、公的年金目減りの老後資金不安、インフレ経済への対応などが理由とされる。

［語群］

① 割安　　② 4 万 0,109　　③ 円安　　④ TOPIX（トピックス）

⑤ iDeCo　　⑥ 7 万 3,370　　⑦ バブル期　　⑧ NISA（少額投資非課税制度）

⑨ 円高　　⑩ リーマン　　⑪ 割高　　⑫ 日経平均株価

## 解答・解説

**3**　A－⑥　　B－⑨　　C－⑦　　D－⑤　　E－④　　F－⑧　　〈解説〉
2022 年度の不用額 11 兆円は、コロナ禍対策の巨額予算を使いきれず増大したもの。

**4**　A－⑫　　B－②　　C－⑦　　D－③　　E－①　　F－⑧　　〈解説〉
日経平均株価は日本経済新聞社が上場企業銘柄から選んだ 225 銘柄から算出。

**5** 近年の日本経済に関する次の記述で、（　　　）に入る適切な語句を下から選びなさい。

⑴　2023年10月、広島県廿日市市は世界遺産・厳島神社で知られる宮島を訪れる人を対象に徴収する、いわゆる（　　　）を始めた。

①入浴税　　②観光税　　③入島税　　④普通交付税

⑵　2024年3月、国土交通省は2024年の公示地価（1月1日時点）を発表。全国の住宅地地価トップは東京都（　　　）で、1m$^2$当たり535万円だった。

①港区南麻布4-12-1　　②中央区銀座4-5-6　　③港区赤坂1-1424-1

⑶　2024年4月帝国データバンクは、2023年度の倒産件数が前年度比30.6%増の（　　　）件と発表。中でも小売業の飲食店が56.0%増802件と目立つ。

①5,904　　②7,005　　③7,734　　④8,881

⑷　2024年4月、総務省は2023年度の消費者物価指数（2020年＝100）が、円安や原材料費高騰などを受け前年比（　　　）％上昇したと発表した。

①1.8　　②2.8　　③3.8　　④4.8

**6** 日本と世界の自動車業界に関する次の記述で、（　　　）に入る適切な語句を語群から選びなさい。

2024年5月、国際自動車工業会は2023年の世界新車販売台数が（　A　）万台だったと発表した。地域別では（　B　）が3009.4万台で、世界最大の自動車マーケットの座に、2位の（　C　）は1561.7万台でいずれも2桁成長。うち日本の（　D　）の世界販売台数は、1,109万台（グループ全体）で売上高は約45兆円（24年3月期決算）だった。一方、2024年1月、国土交通省は車両認証試験を巡る不正で、（　E　）の3車種の型式指定を取り消し出荷停止指示を出した（同年4月、3車種以外は再開）が、続く同年6月には，（　D　）を含む5社の認証不正が発覚、計6車種が出荷停止指示を受けた。世界的なエコカー普及に、政府は2035年までに国内新車販売の100%電動車目標を掲げ、日産は2030年までに欧州市場の電動化率100%の方針（23年12月）を出した。

［語群］

①スズキ　　②9,272.5　　③ドイツ　　④ホンダ　　⑤米国

⑥中国　　⑦ダイハツ工業　　⑧トヨタ自動車　　⑨8,287.1　　⑩英国

### 解答・解説

**5**　⑴－③　　⑵－③　　⑶－④　　⑷－②　〈解説〉⑴正式には宮島訪問税で観光対策費等に充てられる。⑶コロナ禍のゼロゼロ融資返済が原因とも。

**6**　A－②　　B－⑥　　C－⑤　　D－⑧　　E－⑦　〈解説〉2023年ＥＶの世界主要国・地域の新車販売台数（IEA）は中国が810万台で最多。

**7** 近年の日本の企業動向に関する次の記述で、（　　）に入る適切な語句を下から選びなさい。

⑴ 2024 年 5 月、ソニーグループは 2023 年度の売上高が、過去最高の 13 兆 207 億円と発表。（　　）事業は好調で、4 兆 2,677 億円と過去最高だった。
①ゲーム　　②金融　　③音楽　　④映画

⑵ 2024 年 5 月、任天堂は主力ゲーム機（　　）の後継機種情報を 25 年 3 月末に発表するとした。同機の 2023 年販売台数は前年比減の 406 万台。
① Wii　　② PlayStation 5　　③ Nintendo Switch　　④ Xbox

⑶ 2023 年 9 月、日立製作所は家電の（　　）制度導入を発表。量販店等の値引き販売での値崩れ防止を図るが、シェア減少や消費者離れの恐れも。
①割賦販売　　②割引価格　　③オープン価格　　④指定価格

⑷ 2024 年 1 月、2023 年の全国コンビニエンスストアの売上高が過去最高の（　　）億円にのぼり、店舗数は 55,657 店（JFA 調べ）と発表された。
①8 兆 6,648　　②9 兆 7,322　　③10 兆 4,281　　④11 兆 1,864

⑸ 2024 年 5 月、ソフトバンクは利用者情報流出が問題視された（　　）の株式買い増し方針を提示し、50％を出資している韓国・ネイバーと協議した。
① Bondee　　② LINE ヤフー　　③ Skype　　④＋メッセージ

**8** 近年の日本の農林水産業に関する次の記述で、（　　）に入る適切な語句を語群から選びなさい。

2024 年 1 月、農林水産省は 2023 年の農林水産物・食品輸出額（確報値）が、前年比 2.9％増の（　A　）億円と発表した。輸出額上位は、（　B　）、ホタテ貝、牛肉の順だが 1、2 位とも中国の景気減退、水産物輸入規制や欧米市場での物価高の影響を受け減少している。一方、同年 4 月、北太平洋漁業委員会で日本の（　C　）漁獲量が、22 万 5 千トン以内に削減された。近年、同魚不漁が続く日本に直接の影響はないという。また農水省は 2024 年 1 月、ブロッコリーを国民生活に欠かせない（　D　）に追加した。

［語群］
①クロマグロ　　②1 兆 4,547　　③生活野菜　　④サンマ
⑤乾燥ナマコ　　⑥9,981　　⑦アルコール飲料　　⑧指定野菜

## 解答・解説

**7** ⑴－①　⑵－③　⑶－④　⑷－④　⑸－②　〈解説〉⑸23 年 11 月、LINE ヤフーの個人情報約 50 万件が中国に流出し、総務省が懸念を示す。

**8** A－②　B－⑦　C－④　D－⑧　〈解説〉水産物輸出額減は福島原発 ALPS 処理水放出に対する、中国等の報復的な輸入規制が影響している。

9 　近年の日本の国際特許に関する次の記述で、（　　）に入る適切な語句を語群から選びなさい。

　2024年4月、世界知的所有権機関の2023年度の世界の国際特許出願件数国別ランキングによると、出願数1位は（　A　）の69,628件、2位米国、日本は3位で48,920件だった。だが、電気自動車に重要な（　B　）電池に関する出願では、日本企業が約半分を占めている。また、日本企業の企業別国際特許出願数は世界4位で、日本企業では（　C　）が1位となった。また量子コンピューターでは、日本勢は3位12.5%（10〜21年）と健闘している。

［語群］

　①水素　　②中国　　③三菱電機　　④全固体　　⑤韓国　　⑥富士通

10 　近年の世界の経済に関する次の記述で、（　　）に入る適切な語句を下から選びなさい。

(1)　2024年1月、中国自動車工業協会は2023年度のEVと燃料電池車に、電気＋ガソリンも使える（　　）を足した国内新車販売が950万台と発表。

　①太陽電池車　　②PHV　　③ジメチルエーテル車　　④燃料電池電気車

(2)　2024年4月、国際通貨基金（IMF）は、2023年の世界の経済成長率（実質GDP伸び率）が（　　）％になると発表した。

　①1.9　　②3.2　　③2.9　　④4.32

(3)　2024年2月、フランス政府は国内で製造・販売される、植物性タンパク質を加工した（　　）に、「ステーキ」などの商品名の使用を禁止した。

　①混成肉　　②燻製肉　　③代替肉　　④培養肉

(4)　2024年2月、米国商務省が発表した2023年の貿易統計で、中国からの輸入額が（　　）に次ぐ、前年比20.3％減の4,272億ドルで2位と発表。

　①カナダ　　②日本　　③ドイツ　　④メキシコ

(5)　2024年2月、市場調査会社・ユーロモニターインターナショナル発表の2023年「世界で最も魅力的な観光都市」で、3年連続（　　）が1位に。

　①パリ　　②ローマ　　③ドバイ　　④ニューヨーク

**解答・解説**

9 　A-②　　B-④　　C-③　　〈解説〉「全固体電池」は、大容量で小型化しやすく「次世代電池」の本命とされ世界で開発が競われている。

10 　(1)-②　　(2)-②　　(3)-③　　(4)-④　　(5)-①　　〈解説〉(5)以下、ドバイ、マドリードの順で、東京は4位、16位に大阪、京都は27位だった。

# 厚生・環境・科学の時事問題

**1** 2024年問題に関する次の記述で、（　　　　）に入る適切な語句を語群から選びなさい。

2019年に始まった（　A　）では、全業種で（　B　）労働の（　C　）規制が導入されたが、自動車運転業・建設業・（　D　）・鹿児島 沖縄両県の精糖業の4業種については、その業務の特殊性から5年間の猶予期間が設けられた。2024年4月、猶予期間を経て4業種への導入も始まったが、対象業種の人手不足は深刻な状況となっている。帝国データバンクによると、2023年は人手不足による倒産件数が大幅に増え、建設業と物流業がその4割を占めたという。業界では深刻化する（　E　）に対して高齢者や外国人、女性の受け入れに乗り出し、政府も外国人労働者の在留資格である（　F　）の対象に、自動車運送業・鉄道などの分野を加えることを検討している。

［語群］

①人手不足　　②働き方改革関連法　　③上限　　④就業時間基準法
⑤時間外　　⑥下限　　⑦在宅　　⑧特定技能　　⑨医師　　⑩保育士
⑪財政難　　⑫技能実習

**2** ロケット産業に関する次の記述で、（　　　　）に入る適切な語句を語群から選びなさい。

2024年2月、日本の新型ロケット「（　A　）」2号機が種子島宇宙センターから打ち上げられた。（　A　）は従来の基幹ロケット（　B　）の後継として宇宙航空研究開発機構（JAXA）と（　C　）が開発してきた大型ロケットで、世界的な（　D　）打ち上げ需要を狙い、高性能かつ低コストを目指して開発してきた。昨年は1号機の打ち上げに失敗したが、今回の打ち上げに成功したことで、ロケット打ち上げ市場での国際競争力を高める狙いに近づいた。一方、（　E　）氏率いる業界トップの米宇宙企業スペースXは機体の一部を再利用できるロケットを開発している。今年以降、米欧では新型ロケットが相次いで登場する予定。

［語群］

①ビル・ゲイツ　　②衛星　　③H3　　④三菱重工業　　⑤H-IIA
⑥はやぶさ　　⑦日立製作所　　⑧探査機　　⑨イーロン・マスク

**3** 近年の環境に関する次の記述で、（　　　）に入る適切な語句を下から選びなさい。

(1) 2024年3月、日本海近海の（　　　）水温が3季連続で過去最高を更新したことがわかった。気象庁によると、とくに本州の東側の高温が顕著で地球温暖化や黒潮の流れの変化が影響しているという。

① 海面　　②海底　　③沿岸　　④深海

(2) 2024年4月、人的被害が過去最悪となっているクマについて、環境省は計画的に捕獲して頭数を管理する（　　　）管理鳥獣に追加したと発表。ニホンジカ、イノシシに続き3例目だが、対象地域は北海道と本州のみ。

① 特定　　②頭数　　③指定　　④地域

(3) 気象庁・気象研究所は平成21年〜令和2年の12年間で300超の線状降水帯が発生していたと発表。線状降水帯は「3時間降水量が80ミリ以上の線状エリアで（　　　）時間以上同じ場所に停滞する」ことが条件。

① 2　　②6　　③5　　④3

(4) 2024年6月、経済産業省は（　　　）を回収して地下に貯留するCCSの事業化に向けて国内外の9カ所を選出した。事業化されれば年間排出量の1％強を貯留できると見込まれ、温暖化対策の切り札とされる。

① 排気ガス　　②汚水　　③二酸化炭素　　④温室効果ガス

(5) 農林水産省が発表した2022年の漁業・養殖業統計によると、漁獲量は前年比7.2％減の295万992トンで（　　　）やカツオが3割近く減り1956年以降最少となった。海洋環境の変化が背景にあるという。

① マグロ　　②タコ　　③ウナギ　　④サバ

(6) 2024年3月、国連環境計画（UNEP）は2023年に世界で発生したゴミの量は（　　　）億トンで、2050年には1.7倍に達しそのコストは96兆円に上るとの試算を発表。不法投棄対策やリサイクル率の上昇が急がれる。

① 23　　②12　　③8　　④41

## 解答・解説

**1** A−②　　B−⑤　　C−③　　D−⑨　　E−①　　F−⑧　〈解説〉国内で働く外国人は2023年10月時点で204万人を超え過去最多となった。

**2** A−③　　B−⑤　　C−④　　D−②　　E−⑨　〈解説〉スペースX社のロケット（スターシップ）はNASA主導の「アルテミス計画」に投入される予定。

**3** (1)−①　　(2)−③　　(3)−③　　(4)−③　　(5)−④　　(6)−①
〈解説〉(3)線状降水帯は西日本を中心に全国で発生し、梅雨期に多い傾向がある。

**4** 近年の厚生労働に関する次の記述で、（　　）に入る適切な語句を下から選びなさい。

⑴ 2023年11月、米食品医薬品局（FDA）は大手製薬会社が開発した「肥満治療薬」を承認した。この薬はすでに（　　）治療薬として承認されているが、食欲を抑え体重を減らす効果が注目され売り上げが急増している。
　①ガン　　②便秘　　③心臓病　　④糖尿病

⑵ 2024年5月、フリーランスで働く人を保護する「フリーランス新法」が11月に施行されることになった。フリーランスを（　　）事業者として定義し、保護対象の条件が明確化された。
　①特定受託　　②特別雇用　　③不安定　　④任意受託

⑶ 2023年5月、順天堂大学などの研究チームは神経の難病である（　　）病について、血液を検査してその異常型を検出する手法を開発したと発表。発症リスクが高い人の早期発見につながると期待される。
　①重症筋無力症　　②パーキンソン　　③多発性硬化症　　④腎不全

⑷ 2024年4月、大企業の会社員らが加入する健康保険組合の2024年度の収支について、全体の（　　）割の組合が赤字の見通しだと組合連合会が発表。高齢者世代への拠出金の増加などが厳しい財政の背景にある。
　①3　　②5　　③7　　④9

⑸ 2023年9月、エーザイと米製薬企業が開発したアルツハイマー病の新薬（　　）を厚生労働省が承認した。認知症の進行を抑える効果がはじめて認められた薬だが、投与対象は早期アルツハイマー病患者に限られる。
　①ニルセビマブ　　②アルツン　　③レカネマブ　　④モメロチニブ

⑹ こども家庭庁は2022年に全国の保育所や幼稚園などで起きた子どもが絡む事故が、前年から114件増えて過去最多だったと発表した。事故が増加した背景には保育現場の（　　）があるとされている。
　①人手不足　　②賃金への不満　　③高齢化　　④障害児の増加

⑺ 2023年9月、政府が公表した過労死等防止対策白書によると、理想の睡眠時間を6時間以上とする人の割合が91.4%を占めた。一方で実際の睡眠時間が6時間未満の割合が（　　）%に上った。
　①20.5　　②45.5　　③35.7　　④60.9

⑻ 2024年5月、厚生労働省は2040年には（　　）歳以上の高齢者のうちおよそ3人に1人が、認知症かその前段階の軽度認知障害（MCI）になるとの推計を発表した。将来的にはさらに多くなる可能性があるという。
　①60　　②75　　③65　　④80

**5** 近年の科学に関する次の記述で、（　　　）に入る適切な語句を下から選びなさい。

(1) 2024年5月、ヒトの（　　　）から精子や卵子の元となる細胞を大量につくる方法を京都大学の研究グループが発表した。研究が進めば、皮膚や血液など体の一部から精子や卵子をつくり受精させることも可能になる。
　①スタップ細胞　　②心筋細胞　　③iPS細胞　　④ES細胞

(2) 2024年1月、宇宙航空研究開発機構（JAXA）は、昨年9月に打ち上げた無人の月探査機（　　　）が月面着陸に成功したと発表した。月面着陸の成功は日本初で、旧ソ連、米国、中国、インドについで世界で5カ国目。
　①SLIM　　②はやぶさ　　③JUICE　　④あかつき

(3) 2024年4月、高砂熱学工業が月面上で（　　　）を電気分解して酸素や水素を生成できる装置を開発した。2024年冬から装置を打ち上げて月で実証するが、実際に製造することができれば世界初となる。
　①砂　　②紙　　③尿　　④水

(4) 2024年4月、日米両政府は有人月探査（　　　）計画で、日本人宇宙飛行士2人を月面着陸させることで合意した。実現は2028年以降だが、同時にトヨタ自動車などが開発した月面探査車の運用も想定されている。
　①マイケル　　②アルテミス　　③アポロ　　④ルナクール

(5) 2023年6月、東京工業大学などの国際研究チームが（　　　）の衛星エンケラドスの海水に、地球の生命に不可欠なリンが高濃度に含まれているのを発見した。地球外でリンが高濃度にある場所を発見したのは初めて。
　①土星　　②月　　③木星　　④冥王星

(6) 2023年7月、国立障害者リハビリテーションセンターなどの研究チームが、ジョギングなどの運動で脳に適度な衝撃が加わると（　　　）が改善することを発見した。糖尿病などでも改善効果がある可能性がある。
　①肥満　　②認知症　　③腰痛　　④高血圧

(7) 2023年10月、富士通と理化学研究所は、国産2号機となる次世代計算機（　　　）コンピューター」を共同開発したと発表した。
　①イオン　　②量子　　③原子核　　④フロン

### 解答・解説

**4** (1)-④　(2)-①　(3)-②　(4)-④　(5)-③　(6)-①　(7)-②
(8)-③ 〈解説〉(5)脳内に蓄積する異常なたんぱく質アミロイドβを除去する。
**5** (1)-③　(2)-①　(3)-④　(4)-②　(5)-①　(6)-①　(7)-②
〈解説〉(7)極めて低温で電気が流れやすくなる超伝導という現象を利用する。

# 社会・生活の時事問題

**1** 2023 年～ 2024 年にかけての、司法に関する次の記述で、（　　　）に入る適切な語句を下から選びなさい。

(1) 2024 年 1 月、京都アニメーション放火殺人事件で、青葉真司被告は求刑通り死刑判決を言い渡された。最大の争点となった（　　　）は完全にあったと認められたが、被告は判決を不服として控訴した。
　① 責任能力　　②常識認識　　③善悪判定　　④犯罪責任

(2) 2024 年 7 月、旧（　　　）の下で不妊手術を強制されたのは憲法違反だとして、障害者らが国に損害賠償を求めた訴訟の上告審で、最高裁は「旧法は違憲だった」として国に賠償を命じる判決を言い渡した。
　①障害者保護　　②疾病対策　　③血縁優先　　④優生保護法

(3) 2024 年 4 月、離婚後（　　　）日以内に生まれた子の父を前夫とする規定を見直し、再婚後に生まれた子の父を現夫とする改正民法が施行された。ただし、母親が再婚しなければこの例外規定は適用されない。
　① 300　　② 200　　③ 100　　④ 250

(4) 2024 年 5 月、政府は自転車の交通違反を反則金制度の対象にする改正道路交通法を可決成立。従来は現場で警察官が（　　　）を交付し違反者が反則金を納めれば刑事罰を科されない制度だが、自転車は対象外だった。
　①白札　　②黒票　　③青切符　　④赤切符

(5) 2024 年 7 月、中央線などがない生活道路について車の最高速度（法定速度）を、時速（　　　）キロと定める法令改正が閣議決定された。
　① 40　　② 60　　③ 50　　④ 30

(6) 2023 年 10 月、トランスジェンダーが戸籍上の性別を変えるのに、生殖能力を失わせる手術を必要とする「（　　　）特例法」の要件が憲法に違反するかが問われた家事審判で、最高裁は違憲で無効とする決定を出した。
　①生殖能力維持　　②性同一性障害　　③性別判断　　④性別戸籍一致

(7) 2024 年 4 月、公正取引委員会は、IT 大手ヤフーのデジタル広告配信事業を巡り（　　　）に違反する行為があったとして、米グーグルに行政処分を出した。グーグルは約 7 年間、ヤフーの取引を制限していたという。
　①独占禁止法　　②商取引法　　③広告掲載法　　④配信分担法

<u>2</u>　共同親権に関する次の記述で、（　　　）に入る適切な語句を語群から選びなさい。

　2024年5月、離婚後も父母双方が親権を持つ「共同親権」を可能とする民法などの改正案が、参院本会議で可決成立した。婚姻中は親権者を父母双方とし、離婚後はどちらか一方と定める現行の（　A　）親権制度は、（　B　）年の民法改正で定められていた。今回の改正法には婚姻関係の有無に関わらず（　C　）のために父母が協力する責務が明記された。しかし、（　D　）の被害が継続しかねないとの声や、離婚後も父母が協力関係を築けるか疑問だという声も上がっている。必要なサポート体制を民間だけに任せず、政府が支援できる体制を整えていく必要があるとされる。

［語群］
　①1947　　②単独　　③子の利益　　④家庭円満　　⑤単身　　⑥1960
　⑦家庭内暴力　　⑧育児放棄

<u>3</u>　日本の人口動態に関する次の記述で、（　　　）に入る適切な語句を下から選びなさい。

(1)　2023年10月1日の推計で、外国人を含む日本の総人口は1億2,435万2千人で13年連続の減少となった。75歳以上の人口は初めて（　　　）を超えた一方、15歳未満は過去最少を更新し、少子高齢化が加速している。
　①2千万　　②800万　　③5千万　　④500万

(2)　2023年の出生数は（　　　）万7,277人で8年連続減少し過去最少となり、合計特殊出生率も1.20と過去最低となった。また、コロナ禍の影響で婚姻数が戦後初めて50万組を下回ったが、今後の出生数にもさらなる影響が懸念される。
　①120　　②72　　③80　　④50

(3)　国立社会保障・人口問題研究所は2024年4月、将来推計を発表。それによると2050年には全世帯に占める一人暮らしの割合が（　　　）％に達するという。未婚率の上昇ともあいまって、一人暮らし高齢者が増加すると想定される。
　①60.3　　②35.2　　③22.5　　④44.3

## ▌▌解答・解説

<u>1</u>　(1)－①　　(2)－④　　(3)－①　　(4)－③　　(5)－④　　(6)－②　　(7)－①
〈解説〉　(6)最高裁は自認する性別で法的に扱われることは重要な法的利益と指摘した。
<u>2</u>　A－②　　B－①　　C－③　　D－⑦　　〈解説〉　1898年に定められた明治民法では父親の支配権が強かったが、1947年の改正で単独親権となった。
<u>3</u>　(1)－①　　(2)－②　　(3)－④

**4** 沖縄の基地に関する記述で、（　　　）に入る適切な語句や数値を語群から選びなさい。

　米軍（　A　）飛行場の名護市辺野古への移設計画をめぐり、防衛省は2024年1月、（　B　）での地盤改良工事を始めた。県が認めなかった区域での工事は、国が沖縄県知事の権限を奪う異例の（　C　）を経ての着工となった。沖縄県知事は強く反発し、埋め立て反対の県民の民意は知事選や県民投票でも示され、抗議の座り込みは3,475日を数えた。工期は9年以上、総工費は（　D　）億円に膨らんでいるが、想定以上に軟弱地盤の可能性があり、施設完成後も修繕が必要になると予測する専門家もいる。

［語群］

①9,300　　②普天間　　③代執行　　④大浦湾　　⑤嘉手納
⑥川平湾　　⑦無抵抗執行　　⑧5,600

**5** 近年話題となった以下の件に関する記述で、（　　　）に入る適切な語句を下から選びなさい。

⑴　2024年1月、米紙ニューヨーク・タイムズが世界の名所を紹介する「2024年に行くべき52カ所」を発表し、日本からは（　　　）が選ばれた。昨年では盛岡市が選ばれて話題となり、国内外からの観光客でにぎわった。

①山口市　　②長崎市　　③佐渡市　　④岡山市

⑵　2024年4月、自家用車を使って客を運ぶ（　　　）のサービスが東京など4都市で始まった。タクシー不足への対応が狙いで、タクシー会社が運転手を雇い運行管理も行う。4都市以外でも解禁が予定されている。

①カーシェア　　②民間タクシー　　③ライドシェア　　④個人タクシー

⑶　2024年5月、顧客が理不尽な要求をする（　　　）ハラスメントが社会問題化する中、厚生労働省は従業員を守る対策を企業に義務付ける検討に入った。トラブルが横行する背景には顧客第一主義があるとされる。

①バイヤー　　②ストア　　③カスタマー　　④サービス

⑷　2024年3月、SNSを通じて投資話を持ちかける詐欺と、恋愛感情を抱かせて金をだまし取る（　　　）詐欺の被害が昨年約455億円に達した。

①結婚　　②ロマンス　　③ドリーム　　④ハート

### 解答・解説

**4**　A－②　B－④　C－③　D－①　〈解説〉　建設予定の大浦湾の埋め立て区域にはマヨネーズ並みとも言われる軟弱地盤があり、工費はさらに膨らむ恐れがある。

**5**　⑴－①　⑵－③　⑶－③　⑷－②　〈解説〉　⑷なりすましの被害も多い。

# 国際情勢の時事問題

**1** 近年のアメリカ合衆国（米国）に関する次の記述で、（　）に入る適切な語句を下から選びなさい。

(1) 2024年3月、バイデン大統領が歳出7兆2,660億ドル（約1,055兆円）、歳入5兆4,850億ドルの2025年会計年度（24年10月～25年9月）の予算教書を発表した。歳入面での超富裕層の所得は（　）％の最低税率、大企業の最低法人税率15→21％にアップ等の方針に議会が紛糾した。

　①15　　②20　　③25　　④35

(2) 2024年4月、米政府は中国から輸入する（　）製品への一部関税を平均7.5％（4月現在）の3倍に引き上げる方針を発表した。中国の同製品の製造は世界の半分を占め世界で値崩れを招き、その産業保護も狙っている。

　①半導体　　②衣料品　　③携帯電話　　④製鉄・アルミ

(3) 2024年1月、米連邦準備制度理事会（FRB）は、2023年の財務状況は過去最大の（　）ドルの赤字とした。政策金利の利上げが影響したとされる。

　①988億　　②1,143億　　③2,671億　　④3,100億

(4) 2023年7月、バイデン大統領は、米国が備蓄していた全ての（　）の廃棄完了を発表。米国はロシアやシリアに同禁止条約の順守を求めている。

　①核兵器　　②生物兵器　　③化学兵器　　④通常兵器

(5) 2023年9月、米国勢調査局は2022年の大人も含めた貧困率が（　）％と発表した。コロナ禍の財政支援終了と、激しい物価高の影響とされる。

　①12.4　　②22.9　　③8.4　　④4.9

(6) 2024年6月、バイデン大統領は（　）国境からの不法移民増加に対し、亡命申請を制限する大統領令を発表。入国者が1日2,500人超で適用する。

　①カナダ　　②メキシコ　　③フィリピン　　④スペイン

## 解答・解説

**1**　(1)－③　(2)－④　(3)－②　(4)－③　(5)－①　(6)－②　〈解説〉
(1)バイデン大統領は、税率変更等で今後10年間で3兆ドルの財政赤字削減を提示。(2)米国内での中国産鉄需要は0.6％に過ぎず、対中強行姿勢のアピールとも。(4)シリア内戦でアサド政権が使用、ロシアも24年5月にウクライナ侵略での使用が疑われている。(5)中国人の中南米からの不法入国も急増。

**2** 近年のロシアのウクライナ侵略と、ウクライナの現状に関する次の記述で、（　）に入る適切な語句を下から選びなさい。

⑴ 2024年3月、ロシア大統領選で現職のプーチン大統領が5選を果たした。今回はウクライナ侵攻後一方的に併合した同国東・南部4州や、14年に併合した南部（　A　）でも投票を強行した。同年2月に獄中死した反政権指導者（　B　）氏らの反政府運動の抑え込みや、侵攻に反対した議員の立候補不認可などが功を奏した。同大統領の通算30年の権力掌握は、旧ソ連の独裁者スターリンに匹敵。だが、長期にわたる侵略戦争は泥沼化している。

①ボリス・ナデジディン　　②キーウ　　③アレクセイ・ナワリヌイ
④クリミア半島　　⑤リビウ　　⑥エフゲニー・プリゴジン

⑵ 2024年4月、ロシア支援のベラルーシの（　　）大統領は、ロシアの戦術核兵器が数十発配備されていると発表。ロシアには北大西洋条約機構（NATO）加盟国や欧米を威圧し、ウクライナ支援をためらわせる狙いという。

①オルバン　　②ルカシェンコ　　③ショルツ　　④クリステション

⑶ 2024年3月、NATOは23年4月の北欧フィンランドに続き、（　　）が正式加盟し32カ国体制に拡大した。同国はロシアのウクライナ侵略を受け、自国への侵略の危機感から22年にフィンランドと共に加盟申請していた。

①スイス　　②ポーランド　　③スウェーデン　　④モルドバ

⑷ 2024年3月、集団殺害や反人道の罪や戦争犯罪を訴追する国際刑事裁判所（ICC）所長に、日本人女性の（　　）判事が就任した。ICCは23年3月、ウクライナへの戦争犯罪の罪でプーチン大統領らに逮捕状を出した。

①赤根智子　　②綿引万里子　　③森純子　　④畝本直美

⑸ 2024年2月、ロシア内務省はNATO加盟の隣国エストニア・（　　）首相やリトアニアの文化相、ラトビアの法相などバルト3国の政府高官を指名手配。同氏らは対ロシア強硬派の論客として知られ、その牽制が狙いという。

①カーヤ・カラス　　②タロヤ・ハロネン
③グロリア・アロヨ　　④メリー・マッカリース

### 解答・解説

**2** ⑴－A・④　B・③　　⑵－②　　⑶－③　　⑷－①　　⑸－①　　〈解説〉
⑴ロシア大統領選挙は反政府系候補はゼロで、他の候補3人は侵略に触れない中での勝利。プーチン氏の「クリミアの成功」再現の願いは泥沼化の戦況では程遠い。⑶日本はNATOにその存在による中国の進出阻止を期待しているが、加盟予定はない。⑷綿引万里子氏は、名古屋高等裁判所長官。

**3** 近年のイスラエルのパレスチナ自治区ガザ侵攻に関する次の記述で、（　　）に入る適切な語句をしたから選びなさい。

2023年10月、ガザを実質支配するイスラム組織・（　A　）による、イスラエル南部への越境攻撃に端を発し戦闘が開始された。すぐさまイスラエルはガザを包囲、電気・水道等の供給を遮断し、拠点を空爆後、地上戦を本格化させた。同年11月、一時停戦するも翌12月には戦闘を再開した。同月8日には、国連安全保障理事会で戦闘停止の決議案が（　B　）の（　C　）で否決されたが、22日に人道支援拡大を求める決議案は採用された。以降、イスラエルはガザへの空爆やミサイル攻撃を強め、ガザの各地を追われた人たちは地区南部（　D　）へ100万人が避難している。開戦から7ヶ月経過の2024年5月、国連・（　E　）が同地区への攻撃を直ちに停止するようにイスラエルに命令した。だがイスラエルは（　E　）の命令を拒絶。攻撃は止まず、5月末には（　D　）中心部の難民キャンプを空爆した。国連の発表では、同月までの死者が3万5,000人を超え、うち女性と子どもが52%を占めるという。

［語群］

①アメリカ　②ハンユニス　③タリバン　④国際司法裁判所　⑤拒否権
⑥ハマス　⑦黙秘権　⑧中国　⑨ラファ　⑩国際海洋法裁判所

**4** 近年、ガザ侵攻に揺れる中東に関する次の記述で、（　　）に入る適切な語句を下から選びなさい。

(1) 2024年1月、イスラエルは、ハマスと連帯を示すイスラム教シーア派武装組織・（　）のレバノン・ベイルートの重要拠点をドローンで攻撃し、ハマス幹部らを殺害した。同組織はイランの支援を受け、イスラエルと対峙。

①アブドラ・アッサム旅団　②ヒズボラ　③ISILレバノン　④フーシ

(2) 2024年4月、イランの精鋭軍事組織（　）が巡航ミサイルやドローンでイスラエルを攻撃した。同月初めの、イスラエルによる在シリアのイラン大使館への空爆の報復という。イスラエルのイランへ直接攻撃は初めて。

①迅速支援部隊　②アカデミ　③シベリア大隊　④革命防衛隊

▌▌　**解答・解説**

**3**　A－⑥　B－①　C－⑤　D－⑨　E－④　〈解説〉ハマスとイスラエルへ仲介国カタールやエジプトが、幾度か停戦提案をしている。

**4**　(1)－②　(2)－④　〈解説〉(1)ガザ侵攻以降、イスラエルはヒズボラと国境を挟んで連日交戦している。(2)イスラエルは同月19日イランに報復攻撃をしたが、イランはすぐ攻撃拡大はしないとするが緊張状態が続く。

**5** 近年の世界各国の情勢に関する次の記述で、（　　）に入る適切な語句を下から選びなさい。

⑴ 2024年4月、中東・イラクの議会は、（　　）禁止の法案を可決した。イスラム教徒が大多数の中、タブー視されてきたが明示的に罰する法律は初。
　①偶像崇拝　　②肉食　　③同性愛　　④キリスト教

⑵ 2024年7月、英国の下院総選挙で与党・保守党が大敗。最大野党の労働党が14年ぶりに政権を奪回し、党首の（　　）氏が首相に就任した。
　①ブレア　　②スターマー　　③ジョンソン　　④キャメロン

⑶ 2024年6月、中米・メキシコの大統領選挙で（　　）氏が初の女性大統領となった。麻薬組織による治安悪化と根強い男女格差が課題とされる。
　①ガルベス　②ロペスオブラドール　③サンチェス　④シェインバウム

**6** 近年の中国の情勢に関する次の記述で、（　　）に入る適切な語句を語群から選びなさい。

2024年5月、中国軍は（　A　）を包囲するように5つの演習区域で軍事演習を行なった。同月に当選した親米派・（　B　）新総統の、就任演説での中国名指し批判への軍事的威嚇行動とされる。中国軍は22年にペロシ米下院議員が（　A　）を訪問した際にも、大規模な軍事演習を行い弾道ミサイルを日本の排他的経済水域に発射し外交問題となった。2024年1月には沖縄・尖閣列島を含む東シナ海上空に、中国が一方的に設定した（　C　）の境界線近くに軍艦の常時展開を開始した。（　A　）有事の際には、自衛隊機や米軍機の侵入を阻止する狙いとされる。一方、中国政府は2024年の国内総生産（GDP）の成長目標を5.0％前後とする中、軍事（国防）予算は前年比（　D　）％増と成長率目標を超えたが国内経済の低迷が懸念される。

［語群］
①マカオ　　②防空識別圏　　③頼清徳　　④9.3
⑤台湾　　⑥蔡英文　　⑦7.2　　⑧十段線

### 解答・解説

**5** ⑴－③　⑵－②　⑶－④　〈解説〉⑴イラク議会は同性愛の当事者に最長15年の禁固刑が科せられる。⑶初の女性大統領誕生の数時間後に、女性町長が殺害された。マフィアの要求拒否の報復とされ治安悪化が表出。
**6** A－⑤　B－③　C－②　D－⑦　〈解説〉米国防総省は中国の核弾道保有数は500発超と推計、2030年には1,000発を越す予想を発表。米中対立による中国経済の幅広い業績低迷で世界への悪影響が懸念される。

# 文化・スポーツ・その他の時事問題

**1** 近年のスポーツに関する次の記述で、(　　) に入る適切な語句を下から選びなさい。

(1) 2024年5月、MLBを渡り歩いて13年目、(　　) 投手が日米通算200勝を達成した。野茂英雄、黒田博樹に続く3人目の快挙となる。多彩な変化球を持ち味として米メディアには魔術師と評される。

① 今永昇太　②ダルビッシュ有　③菊池雄星　④山本由伸

(2) 2024年5月、ボクシングの世界統一戦が東京ドームで行われ、スーパーバンタム級世界4団体統一王者の (　　) 選手がルイス・ネリにTKO勝ちし王座を防衛した。バンタム級の主要4団体の王座は日本人が占める。

①井上尚弥　②具志堅用高　③井岡弘樹　④辰吉丈一郎

(3) 2024年3月、大相撲春場所で新入幕の (　　) が新入幕優勝を決め、110年ぶりとなる歴史的な快挙を果たした。初土俵から所要10場所での優勝は、1958年以降に初土俵を踏んだ力士で最速となった。

①尊富士　②大の里　③琴ノ若　④宇良

(4) 2024年1月、第100回箱根駅伝が行われ、往路を制した (　　) 大学が総合10時間41分25秒の大会新記録で2年ぶり7度目の優勝を果たした。

①駒沢　②青山学院　③城西　④帝京

(5) 2023年11月、(　　) 選手が、史上初となる2度目の満票でアメリカンリーグ最優秀選手（MVP）に選ばれた。2001年にはイチローが同賞を受賞しているが、複数回の受賞は日本選手でははじめてとなる。

①松井秀喜　②新庄剛志　③佐々木主浩　④大谷翔平

(6) 2024年1月に行われた第43回大阪国際女子マラソンで、(　　) 選手が2時間18分59秒の日本新記録をマークして2位に入った。日本記録の更新は2005年に野口みずきが出して以来19年ぶりである。

①新谷仁美　②高橋尚子　③谷川真理　④前田穂南

## 解答・解説

**1**　(1)－②　(2)－①　(3)－①　(4)－②　(5)－④　(6)－④

〈解説〉　(3)初土俵から優勝までの最速記録は貴乃花と朝青龍の24場所だった。

2 アメリカの音楽業界に関する次の記述で、（　　）に入る適切な語句を語群から選びなさい。

　2023 年 6 月、米グラミー賞の主催団体レコーディング・アカデミーは「選考、ノミネート、受賞の対象は（　A　）のクリエーターのみ」とする新ルールを発表した。音楽業界で（　B　）を活用した作品が広がっているが、新ルールには「（　A　）の著作者が参加しない作品はあらゆる部門で対象外」と明記した。最近では、ビートルズの元メンバー ポール・マッカートニーさんが（　B　）を活用して故（　C　）さんの歌声を取り出し曲を完成させているが、（　B　）による（　D　）侵害の問題が方々で起きており、業界に波紋が広がっている。一方ハリウッドでも、（　B　）がすべて書いたテレビの脚本まで登場し、脚本家の仕事が奪われてしまうのではとの懸念から、脚本家たちでつくる労働組合による大規模なストライキまで起きている。

[語群]
　①ジョン・レノン　　②著作権　　③人間　　④肖像権　　⑤生成 AI
　⑥ジョージ・ハリスン　　⑦個人　　⑧グループ

3 近年の日本文化に関する次の記述で、（　　）に入る適切な語句を下から選びなさい。

⑴ 2024 年 4 月、鎌倉初期を代表する歌人・（　　　）が自筆した「古今和歌集」の注釈書の原本「顕注密勘」が子孫である冷泉家の蔵から見つかった。専門家は国宝級の発見に値すると評価している。
　①紫式部　　②在家業平　　③藤原定家　　④柿本人麻呂

⑵ 2024 年 3 月、国内初の盾形銅鏡と東アジア最大の鉄剣が出土した奈良県の（　　　）古墳で、木棺の中からも銅鏡と盾櫛などが見つかった。全国最大級のこの古墳は女性が葬られていた可能性があるという。
　①富雄丸山　　②三内丸山　　③仁徳天皇陵　　④吉野ヶ里

⑶ 2024 年 7 月、ユネスコ（国連教育科学文化機関）の世界遺産委員会は、日本の「（　　　）」を世界文化遺産に登録することを決定した。
　①古都鎌倉の寺院・寺社　②佐渡島の金山　③彦根城　④東京タワー

## 解答・解説

2 　A－③　　B－⑤　　C－①　　D－②　　〈解説〉EU ヨーロッパ連合では、包括的に AI を規制する法律が成立しており、日本でも規制の検討が始められた。
3 　⑴－③　　⑵－①　　⑶－②　　〈解説〉⑴定家を遠祖とする冷泉家は代々宮中で和歌を教えてきた。⑶日本の世界文化遺産登録は、21 件目となる。

**4** 近年の日本と世界の文化・演劇・文芸などに関する次の記述で、（　　　）に入る適切な語句を下から選びなさい。

(1) 2024 年 3 月、第 96 回米アカデミー賞で宮崎駿監督の『君たちはどう生きるか』が長編アニメーション賞、（　　　）監督の『ゴジラ -1.0』が視覚効果賞と日本映画がダブル受賞を果たした。

①宮藤官九郎　　②園子温　　③西川美和　　④山崎貴

(2) 2024 年 7 月、第 171 回・芥川賞に朝比奈秋氏の『サンショウウオの四十九日』ほか 1 作が、同直木賞に一穂ミチ氏の『（　　　）』が選ばれた。

①ツミデミック　　②テスカトリポカ　　③推し、燃ゆ　　④地図と拳

(3) 2023 年 10 月、NHK は料理番組『（　　　）』が 65 年間のテレビ料理番組の最長放送としてギネス世界記録に認定されたと発表した。

①きょうの料理　　②となりの晩ご飯　　③家族の食卓　　④何食べましょう

(4) 2024 年 2 月、第 66 回グラミー賞の発表・授賞式がロサンゼルスで行われ、（　　　）さんのアルバム『ミッドナイツ』が最優秀アルバム賞を受賞した。

①ビリー・アイリッシュ　　②オリビア・ロドリゴ　　③テイラー・スウィフト

(5) 2024 年 4 月、第 77 回カンヌ国際映画祭のコンペティション部門の審査員の一人に（　　　）監督が選ばれた。日本人の審査員は 11 年ぶり。

①北野武　　②崔洋一　　③是枝裕和　　④山田洋次

(6) 2024 年 4 月、第 21 回本屋大賞が発表され、（　　　）さんの『成瀬は天下を取りにいく』が選ばれた。同作は 40 万部を売上げ続編も刊行された。

①湊かなえ　　②宮島未奈　　③牧野美加　　④辻村深月

(7) 2023 年 12 月、（　　　）さんが自身の幼少期を描いた『窓ぎわのトットちゃん』が、「最も多く発行された単一著書による自叙伝」としてギネス世界記録に認定された。記録対象部数は 2511 万 3862 部。

①松島トモ子　　②草笛光子　　③黒柳徹子　　④橋田壽賀子

(8) 2024 年 9 月、米ロサンゼルスで第 76 回エミー賞の授賞式が開かれ、（　　　）さんプロデュース・主演の『SHOGUN 将軍』が作品賞を受賞した。

①真田広之　　②中井貴一　　③時任三郎　　④舘ひろし

### ▌解答・解説

**4** (1)－④　(2)－①　(3)－①　(4)－③　(5)－③　(6)－②　(7)－③ (8)－① 〈解説〉(1)『ゴジラ－1.0』は少ない製作費に反した圧倒的な映像美が評価された。(3)レシピの分量は家族形態を反映して当初の 5 人分から 4 人分となり、現在は 2 人分。(5)前回審査員を務めたのは 2013 年の河瀬直美監督。

# 最新時事用語 要点のまとめ

## 政治・経済・金融

### ●日韓関係

　2024年4月、韓国総選挙で保守系の尹錫悦（ユン・ソンニョル）大統領率いる与党「国民の力・国民の未来」が大敗した。だが、現有議席は3分の1ラインを上回り、日韓関係への影響は限定的と思われる。日韓の歴史は豊臣秀吉の朝鮮出兵から、1910（明治43）年の韓国併合による統治など、歴史認識問題が深く関わってきた。第2時世界大戦後の朝鮮半島の南北分裂により国交が途絶えたが、1965（昭和40）年に「日韓基本条約」の下で外交関係を樹立した。1990年代に元慰安婦問題が再燃するが、当時の日本政府は責任を否定し朝鮮植民地化全般に関して論争が広がり、2020年代まで市民の抗議運動が続いた。1998（平成10）年、金大中（キム・デジュン）大統領が来日、当時の小渕恵三首相が謝罪を申し出て短期間だが関係が改善した。政府間で元徴用工訴訟問題、竹島の領有権問題などが燻る一方、韓国ドラマやKポップ、韓国食品ブームなど民間での交流は盛んだった。2013（平成25）年、韓国は福島第一原発の汚染による魚介類の輸入を禁止、対して日本は輸出管理厳格化などの報復措置をし日韓関係は戦後最悪となった。就任3年目の尹大統領は、米国や日本を重視する考えを示してきた。また、その中2024年5月、韓国で進む超少子化に対し国家非常事態とし「低出生対応企画省（仮称）」の新設を発表した。

### ●尖閣諸島問題

　尖閣諸島は沖縄県石垣市に属する魚釣島、北小島、南小島、久場島、大正島、沖ノ北岩、沖ノ南岩、飛瀬などから成る島々の総称。1951（昭和26）年のサンフランシスコ平和条約で尖閣諸島は日本領とされたが、米軍が諸政策を行使してきた。1969（昭和44）年、国連アジア極東経済委員会が「東シナ海に石油埋蔵の可能性」を指摘。1971（昭和46）年、日米間の沖縄返還協定署名により尖閣諸島も返還されたが、同年石油埋蔵が分かるまで無関心だった中国、台湾が「領有権」を主張。日本は固有の領土で「領有権」問題は存在しないとし、2012（平成24）年国有化した。以来、魚釣島付近での中国公船の領海侵犯が多発し、2023年は接続水域内を通算336日も侵入している。

### ●安全保障関連3文書

　2022（令和4）年12月に改正した「国家安全保障戦略」、「国家防衛戦略」、「防衛力整備計画」の3文書のこと。2027年度に防衛予算等を現在のGDP

比2％の増額、ミサイルへの反撃能力保有など政府の取り組みが注目される。

●原子力発電＝再稼働と世界の動き

2024年5月現在、国内の動かせる原子力発電所33基のうち、地元の同意を得て再稼働している原発は、大飯3、4号機、高浜1〜4号の4基、美浜3号機（以上、関西電力）、玄海3、4号機、川内1、2号機（以上、九州電力）、伊方3号機（四国電力）の6発電所12基である。また同年1月時点で新規制基準に適合し設置変更許可が認められた原発は5基あり、そのうち福島第一原発と同じ「沸騰水型軽水炉」と、仕組みが異なる「加圧水型軽水炉」がある。そんな中、カーボンニュートラル（温室効果ガス実質排出量ゼロ）推進とエネルギー安全保障強化のため、世界的に原発を見直す動きが強まっている。2022年に新たに5基を着工した中国を始め、世界26か国で新たな原発が建設、計画中。また、運転中の原発が最多なのは米国である。

●中国・一帯一路構想

習近平（シー・チンピン）国家主席が2013年に提唱した、中国を起点にユーラシア大陸と南太平洋を結ぶ広域経済構想。中国が重点投資地域とするASEAN（東南アジア諸国連合）の構成国カンボジアのように、中国と二国間FTAを締結するなど中国への経済依存を高める国も多い。莫大な投資の返済に行き詰まる「債務の罠」が懸念される中、2022年スリランカが事実上のデフォルト（債務不履行）に陥った。そんな不安感や事業の停滞に中国も、「全ての国が受益国」（2023年・一帯一路フォーラム）と懐柔策を出す。その中、同年12月に主要7カ国（G7）で唯一の参加国だったイタリアが、中国政府に正式に離脱を通知。イタリアにとって輸出等の恩恵が乏しいためとされる。

● IPEF（インド太平洋経済枠組み）

バイデン米大統領が主導し、東南アジア地域の経済活動の支援、緊急時の重要物質の流通網強化、デジタル技術での貿易の円滑化等を目指し表明（2022年）。2024年2月、各分野の内でサプライチェーン協定が初めて発効した。主に、重要物資の輸出を制限する「経済的威圧」を行う中国への対応とされる。参加国は日本や、オーストラリア、インド、韓国、シンガポール等の14カ国（2024年5月現在）で、世界のGDPの4割を占める経済圏である。

●日経平均株価とTOPIX（東証株価指数）

日本経済新聞社がトヨタ自動車、ソニーグループなど、日本を代表する企業225銘柄の株価を元に示す指数。TOPIXは原則プライム市場の全銘柄である約2千銘柄の株式の時価総額（株価×株式数）を元に算出する。株式市場全体が捉えられるが大銘柄の影響を受けやすい面がある。

## 国際情勢

### ●ロシアのウクライナ侵攻

2022年2月24日、ロシアのプーチン大統領は、親露派武装勢力が実効支配するウクライナ東部の一部で、自称「ドネツク人民共和国」「ルガンスク人民共和国」からの要請に応える形で、「ウクライナ政府がジェノサイド（集団殺害）を行っている」と主張し、「支配地域の国民を守る」ためにロシア軍の侵攻を指示した。ロシア軍は侵攻直後から主要都市を攻撃、多数の死傷者を出している。ロシアは旧ソビエト連邦共和国の元構成国だったウクライナとジョージア（旧グルジア）を自国の「勢力圏」とみなし、両国のNATO（北大西洋条約機構）加盟を妨害してきた。ウクライナは2014年2月に、親露政権が親欧米派の抗議デモに倒れ政権交代、ロシアは「クーデター」と非難、同年3月にウクライナ南部クリミアに侵攻し一方的に併合した。ウクライナ支援も含め国際社会はロシアへ様々な制裁を加えているが、中国など親露国は制裁に慎重。ウクライナ侵攻は、穀物やエネルギー供給など世界経済へ多大な影響を与えている。2023年3月、プーチン大統領は隣国ベラルーシへ戦術核兵器の配置、貯蔵基地建設を決め緊張を高めた。2024年3月、同大統領は選挙により通算5選を果たしたが、ウクライナに降伏を迫る姿勢は変わらない。開戦以来2年を超えた現在も、戦況は膠着状態が続いている。

### ●イスラエル・ハマス軍事衝突

2023年10月7日、パレスチナ自治区ガザを実効支配しているイスラム主義組織ハマスは、イスラエル領内に越境攻撃し侵入し200人以上をガザに拉致した。イスラエル軍は即日ガザ空爆を開始。同年12月、国連安保理で戦闘停止の決議案が、イスラエル支持の米国の拒否権で否決される。2007年以来のハマスのガザ実効支配に、イスラエルは同地区を封鎖し生活基盤を破壊してきた。2024年8月現在、衝突による同地区の死者は4万人超とされる中、ハマス壊滅を掲げるイスラエルとの停戦交渉は進捗を見せない。

### ●近年の中国の動向

2023年12月、米国土安全保障省はウイグル族などの少数民族の強制労働に関係する中国企業3社の輸入禁止を発表した。中国は新疆ウイグル自治区での強制労働が疑われ、2021年12月にバイデン米大統領が、それにより生産された製品の輸入を禁じる「ウイグル強制労働防止法案」に署名し制裁を決めた。中国は一貫して人権侵害を否定し、2022年4月には、ILO（国際労働機関）の「強制労働廃止条約」に批准した。これは国際的な対中制裁をか

わす狙いとされるが、2023年10月には国連で日米を含む51カ国が、少数民族の虐待等人権侵害をやめるよう共同声明を出し中国に改善を促した。

　また中国は、海洋進出でも南シナ海の権益確保のため独自の「九段線」を根拠に、一方的に南沙諸島や西沙諸島などの基地化を含む進出を行い、周辺諸国から領海侵入と反発され対立している。過去2016年には、フィリピンの提訴で常設仲裁裁判所は「法的根拠なし」の判決を下したが、中国はこれを無視し続け、2023年9月、国内新地図で係争地を「領土・領海」とする実質「十段線」を発表し反発を招いた。2024年5月、習近平国家主席はハンガリーなど親中2ヶ国と首脳会談し、欧州連帯への対抗意識を露わにした。

●北大西洋条約機構（NATO）

　1949年4月、第2次世界大戦後の東西対立激化を受け、西側（資本主義国）の共同防衛組織として西欧10カ国と米国、カナダ間で発足した全32カ国（2024年5月現在）が加盟する世界最大の軍事同盟。2008年には、ウクライナとジョージアがNATOから「将来の加盟国」と認められた。2023年4月にフィンランド、2024年3月にはスウェーデンも新たに加盟した。プーチン露大統領はかねてからNATOの東方拡大を恐れ、ウクライナ侵攻の口実の一つとした。

### 厚生・環境・科学・社会・生活

●共同親権導入が成立

　2024年5月、離婚後も父母双方が親権を持つ「共同親権」を可能とする民法改正案が成立し、公布後2年以内に施行される。1947年改正の「単独親権」制度が77年ぶりに見直される。婚姻関係の有無に関わらず「子の利益」のために父母が協力する責務が明記された。しかし、離婚した夫婦の調整の困難や、交渉する中でDV（家庭内暴力）被害の継続等を懸念する声もある。

●本屋大賞

　全国530の新刊書店より736人の書店員が、2回の投票を経て「一番売りたい本」を選ぶ。2004（平成16）年の第1回本屋大賞は小川洋子『博士の愛した数式』。当初は「打倒！直木賞」提唱が話題になったが、現在は文芸書の販売貢献が注目に。2024年は、宮島未奈『成瀬は天下を取りにいく』が受賞。

●LGBTQ（＋）

　性的マイノリティーを総称する言葉。レズビアン（女性同性愛者）、ゲイ（男性同性愛者）、バイセクシュアル（両性愛者）、トランスジェンダー（性別越境者）、クエスチョニングやクィア（特定の枠に属さない人）の頭文字を取ったもの。近年、他のセクシュアリティーも表す「＋」を足すこともある。

## 文化・スポーツ・その他

●世界遺産

　ユネスコ（国際連合教育科学文化機関）が、特定の領域の自然や文化の保護を目的とした「世界の文化遺産及び自然遺産の保護に関する条約（世界遺産条約・1972年採択）」に基づき、「世界遺産リスト」に登録する。世界遺産には、①歴史・芸術上普遍的な価値のある建造物・遺跡などの「文化遺産」、②保存上・学術上重要な景観や生物の生息地などの「自然遺産」、③文化・自然の両面で重要な「複合遺産」がある。日本の世界遺産は計26か所。

［日本の世界遺産］■文化遺産■　①法隆寺地域の仏教建造物（1993年）②姫路城（1993年）③古都京都の文化財（1994年）④白川郷・五箇山の合掌造り集落（1995年）⑤原爆ドーム（1996年）⑥厳島神社（1996年）⑦古都奈良の文化財（1998年）⑧日光の社寺（1999年）⑨琉球王国のグスク及び関連遺産群（2000年）⑩紀伊山地の霊場と参詣道（2004年）⑪石見銀山遺跡とその文化的景観（2007年）⑫平泉－仏国土（浄土）を表す建築・庭園及び考古学的遺跡群（2011年）⑬富士山－信仰の対象と芸術の源泉（2013年）⑭富岡製糸場と絹産業遺産群（2014年）⑮明治日本の産業革命遺産－製鉄・製鋼、造船、石炭産業（2015年）⑯ル・コルビュジエの建築作品－近代建築運動への顕著な貢献（2016年）⑰「神宿る島」宗像・沖ノ島と関連遺産群（2017年）⑱長崎と天草地方の潜伏キリシタン関連遺産（2018年）⑲百舌鳥・古市古墳群－古代日本の墳墓群（2019年）⑳北海道・北東北の縄文遺跡群（2021年）㉑佐渡島の金山（2024年）

■自然遺産■　①白神山地（1993年）②屋久島（1993年）③知床（2005年）④小笠原諸島（2011年）⑤奄美大島、徳之島、沖縄島北部及び西表島（2021年）

●無形文化遺産

　ユネスコが「無形文化遺産保護条約（2003年採択）」に基づき登録する。日本では、2008年「人形浄瑠璃文楽」「歌舞伎」「能楽」に続き、2013年「和食　日本人の伝統的な食文化」、2014年「和紙」、2018年「来訪神　仮面・仮装の神々」、2022年「風流踊」などの認定で計22件。

●ラムサール条約

　「特に水鳥の生息地として国際的に重要な湿地に関する条約」のこと。日本は1980年に加盟し、釧路湿原（北海道）、化女沼（宮城県）、瓢湖（新潟県）、立山弥陀ヶ原・大日平（富山県）、荒尾干潟（熊本県）、与那覇湾（沖縄県）、葛西海浜公園（東京都）、出水ツルの越冬地（鹿児島県）など53カ所が登録。

●夏季オリンピック

　1896 年に近代オリンピック（夏季大会）としてアテネ（ギリシャ）で開催。2020 年第 32 回東京大会は、コロナ禍で翌年 7 月開催。2028 年はアメリカ・ロサンゼルス。2032 年は、オーストラリア・ブリスベンで開催予定。

●冬季オリンピック

　1924 年のシャモニー・モンブラン（フランス）が第 1 回大会。2022 年は中国・北京で開催された。2026 年はイタリアのミラノ・コルティナダンペッツォに決定。2030 年は、フランス・アルプス地域で開催予定。

●ノーベル賞

　ダイナマイトを発明したスウェーデンの化学者・実業家ノーベルの遺志で創設された。日本出身受賞者はノーベル平和賞に佐藤栄作（1974 年）、物理学賞に湯川秀樹（1949 年）、真鍋淑郎（2021 年）ら 12 人、文学賞に川端康成（1968 年）、大江健三郎（1994 年）、カズオ・イシグロ（2017 年）の 3 人、生理学・医学賞に利根川進（1987 年）、山中伸弥（2012 年）、大村智（2015 年）、大隅良典（2016 年）、本庶佑（2018 年）の 5 人、化学賞は福井謙一（1981 年）、吉野彰（2019 年）ら 8 人の総計 29 人（外国籍除く）となったが、経済学賞はいない（敬称略）。

### 話題の人物ファイル／国内

◆玉城デニー（たまきでにー）＝本名・康裕。2018 年より沖縄県知事。名護市辺野古の米軍基地移設を、代執行で強行する国と激しく対立している。
◆真田広之（さなだひろゆき）＝俳優。2024 年 9 月、米テレビ界の第 76 回エミー賞を、プロデュース・主演の『SHOGUN 将軍』で主演男優賞、作品賞等を受賞。
◆大谷翔平（おおたにしょうへい）＝米ＭＬＢ選手。2024 年、日本人初の本塁打王と打点王の 2 冠、史上初の「50 本塁打、50 盗塁」を達成。

### 話題の人物ファイル／国際

◆ウラジーミル・プーチン＝ 2012 年よりロシア連邦第 4 代大統領。クリミア強制併合への欧米の制裁が続く中、2022 年 2 月にウクライナへ侵攻した。
◆ウォロディミル・ゼレンスキー＝ウクライナ大統領。元コメディアンだが 2019 年大統領選で勝利。ロシアの侵攻に対し強力な指導力を発揮する。
◆習近平（しゅうきんぺい／シー・チンピン）＝ 2013 年より中華人民共和国国家主席。覇権主義的な海洋進出や、国内の人権抑圧などが批判される。
◆尹錫悦（ユン・ソンニョル）＝第 20 代韓国大統領。支持率低迷と野党対立、妻の贈賄疑惑、元徴用工賠償問題、対北朝鮮対応問題などに苦しむ。

◆協　　力／外西俊一郎

◆デザイン／工房どらごん 小林辰江

◆図版・イラスト／中野孝信

◆編集協力／エディッシュ編集部

本書に関する正誤等の最新情報は、下記のURLをご覧ください。

https://www.seibidoshuppan.co.jp/support/

上記アドレスに掲載されていない箇所で、正誤についてお気づきの場合は、書名・発行日・質問事項・氏名・住所・FAX番号を明記の上、成美堂出版まで郵送またはFAXでお問い合わせください。

※電話でのお問い合わせはお受けできません。

※本書の正誤に関するご質問以外にはお答えできません。また受験指導などは行っておりません。

※ご質問の到着確認後、10日前後で、回答を普通郵便またはFAXで発送致します。

※ご質問の受付期限は、2025年の10月末日到着分までと致します。ご了承ください。

## 高校生よく出る一般常識問題集 '26年版

2024年12月1日発行

編　著　成美堂出版編集部

発行者　深見公子

発行所　成美堂出版
　　　　〒162-8445　東京都新宿区新小川町1-7
　　　　電話(03)5206-8151　FAX(03)5206-8159

印　刷　広研印刷株式会社

©SEIBIDO SHUPPAN 2024 PRINTED IN JAPAN
ISBN978-4-415-23921-7

落丁・乱丁などの不良本はお取り替えします
定価はカバーに表示してあります